RHYFEL NI

RHYFEL NI

PROFIADAU CYMREIG
O DDWY OCHR
RHYFEL Y FALKLANDS/MALVINAS
1982

IOAN ROBERTS

Argraffiad cyntaf: Hydref 2003

(h) *y testun*

Rhif Llyfr Safonol Rhyngwladol: 0-86381-860-9

Cynllun clawr: Sian Parri

Mapiau: Ken Gruffydd

Cyhoeddir o dan gynllun comisiwn Cyngor Llyfrau Cymru.

Argraffwyd a chyhoeddwyd gan Wasg Carreg Gwalch,
12 Iard yr Orsaf, Llanrwst, Dyffryn Conwy, LL26 0EH.
☎ *01492 642031*
📠 *01492 641502*
✉ *llyfrau@carreg-gwalch.co.uk*
lle ar y we: www.carreg-gwalch.co.uk

Lluniau clawr blaen
Du a gwyn: Milwyr yn cael eu cludo i'r lan o
fflamau'r Sir Galahad, 8 Mehefin, 1982
(*Llun: PA Photos Ltd, 292 Vauxhall Bridge Road, Llundain SWN 1AE*)
Lliw: Michael John Griffith, Sarn Mellteyrn, a'i ferch Heather, 2003
Carlos Eduardo Ap Iwan, a'i ferch Jimena, 2002
Clawr ôl: Cofeb meirwon y Malvinas, Commodoro Rivadavia

CYNNWYS

CHILE

PATAGONIA

CHUBUT

Porth
Madryn

Comodoro
Rivadavia

SANTA
CRUZ

CEFNFOR
DE IWERYDD

Punto
Arenas

TIERRA
DEL FUEGO

Ynysoedd Falkland/
Malvinas

Stanley/ Puerto
Argentino

Yr Horn

Ynysoedd Sianel Beagle;

De Georgia

0   100   250
                          milltiroedd

Ynysoedd
De Sandwich

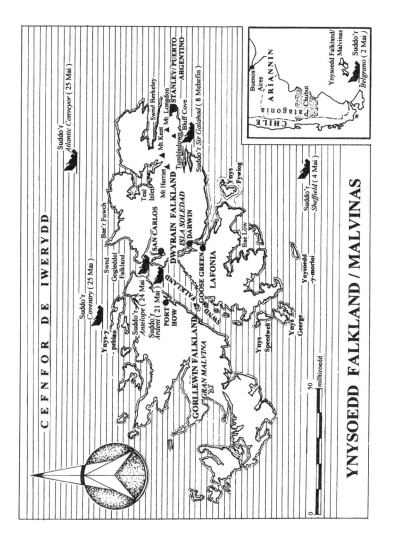

YNYSOEDD FALKLAND / MALVINAS

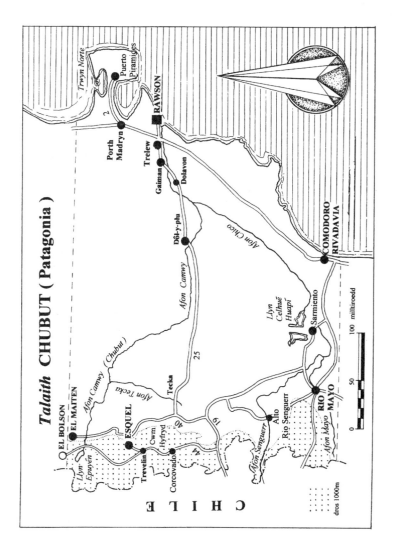

Talaith **CHUBUT** (Patagonia)

CYFLWYNIAD

Mae'n hanner nos yn y *Davarn Las*, awr gynnar iawn mewn gwlad lle mae pawb call wedi bod yn cysgu trwy'r pnawn. Dyna pam bod y lle'n wag ar wahân i'r barman a dau hen begor o Ben Llŷn, Dafydd M Jones, sydd ar ei wyliau yn yr ardal, a finnau. Dydi Dafydd ddim yn ei hwyliau gorau, ar ôl cael ei frathu yn ei goes rai oriau ynghynt gan fwngrel du a gwyn o'r enw Robat. Ond wrth inni hwylio i fynd yn ôl i westy'r *Tŷ Gwyn* maen nhw'n dechrau cyrraedd o dŷ bwyta yn Stryd Michael D. Jones: dau neu dri o bobl ifanc i ddechrau, wedyn fesul dwsin, nes bod y *Davarn Las* yn sydyn dan ei sang. Cymraeg ydi iaith pob clebran, ond os gwrandewch chi'n ddigon astud mi glywch ddwy dafodiaith – Penllyn a Phatagonia. Aelodau Aelwyd yr Urdd, Llanuwchllyn ydi hanner y criw, a'r hanner arall yn bobl ifanc leol o'r Gaiman, ffrwyth yr adfywiad diweddar yn y Gymraeg yn y Wladfa. Cyn pen dim mae'r *Davarn Las* yn fôr o gân, pawb ond y barman a Dafydd a fi yn morio 'Pan Ddaw Yfory', 'Calon Lân', 'Yma o Hyd': nid rhyw ruo tŷ tafarn chwaith ond canu disgybledig mewn harmoni.

Mi allwch ddoethinebu tan Sul pys ynglŷn â'r Wladfa. Oedd o'n beth call i'r Cymry cynnar ddod yma? Gawson nhw'u camarwain? Ydan ni'n rhamanteiddio gormod am y lle? Oes 'na ddyfodol i'r Gymraeg yma? Ond mi fyddai gofyn ichi fod yn sinig dychrynllyd i beidio â theimlo rhyw wefr yn eich calon ar noson fel heno yn y Gaiman, wrth i asbri ifanc Dyffryn Camwy a Sir Feirionnydd bontio pum cenhedlaeth a saith mil o filltiroedd. A fedrwn i, oherwydd y perwyl yr oeddwn i arno, ddim peidio â meddwl hyn: petai'r criw yma ugain mlynedd yn hŷn mi allai rhai ohonyn nhw fod yn trio lladd ei gilydd ar ynysoedd gerwin chwe chan milltir o'r *Davarn Las*, er mwyn penderfynu a ddylai'r lle hwnnw gael ei alw'n Falklands neu'n Malvinas.

Pan oedd milwyr o Gymru'n ymladd ac yn marw ar yr ynysoedd yn 1982 mewn rhyfel dros hawliau'r rhai oedd yn cael eu disgrifio fel eu *'kith and kin'* , mae'n fwy na thebyg fod yna fwy o siaradwyr Cymraeg yn byw ym Mhatagonia ar dir y 'gelyn' nag oedd yna o bobl yn byw ar y Falklands. Roedd y siaradwyr Cymraeg hynny mor argyhoeddiedig ag unrhyw Archentwyr eraill mai eiddo Ariannin oedd y Malvinas, a'r rhan fwyaf yn gefnogol, ar y dechrau o leiaf, i ymdrech eu llywodraeth filitaraidd i ailfeddiannu'r ynysoedd trwy rym. Ac oedd, roedd rhai o ddisgynyddion y Cymry a sefydlodd y Wladfa yn ymladd ar yr ynysoedd, yn erbyn byddin oedd yn cynnwys llawer o fechgyn yr 'Hen Wlad'.

Fyddai gwybod am y cysylltiadau hynny ddim wedi cael unrhyw effaith ar agweddau'r rhai oedd yng nghanol y brwydro: os yw'n ddewis rhwng lladd a chael eich lladd, y peth olaf ar eich meddwl yw y gallai'r sawl sy'n eich bygwth fod yn gefnder pell. A doedd dim lle i'r dimensiwn Cymreig yn nadleuon Prydain ac Ariannin dros fynd i ryfel. Yng ngolwg Prydain, roedd yr Archentwyr wedi meddiannu tir gwlad arall trwy rym, yn groes i'r gyfraith ryngwladol ac i ddymuniadau'r bobl oedd yn byw ar yr ynysoedd ers cenedlaethau. O safbwynt Ariannin, doedd hynny ddim ond yn unioni cam oedd wedi digwydd ganrif a hanner ynghynt, pan oedd Prydain wedi lladrata'r Malvinas trwy rym milwrol oddi ar eu gwladwriaeth ifanc, fregus nhw. Ond i rai pobl yng Nghymru ac ym Mhatagonia roedd y cyswllt rhwng y ddwy gymuned, oedd bron cyn hyned â'r un rhwng Lloegr a'r Falklands, yn rhoi gwedd wahanol ar y rhyfel. Doedd hi ddim mor hawdd i Gymry ymostwng i feddylfryd y *Sun*, oedd yn portreadu'r 'Argies' fel rhyw fodau is-ddynol, os oeddech chi'n gwybod

bod y bobl hynny'n cynnwys eich ffrindiau neu berthnasau hawddgar o'r Wladfa. A siawns bod llawer yn y Wladfa yn sylweddoli nad oedd Margaret Thatcher yn cynrychioli barn holl bobl Cymru – er gwaethaf llythyr yn *Y Cymro* ar y pryd gan un Gwladfäwr oedd yn cyhuddo milwyr Cymreig o gefnogi 'rhyfel ymherodraethol Prydain Fawr, ysglyfaethus a lladronllyd'.

Roeddwn i'n gweithio ar y pryd fel golygydd rhaglen 'Y Dydd' yn ystafell newyddion *HTV* ym Mhontcanna, Caerdydd. Roedd y rhaglen yn dod i ddiwedd ei hoes yn sgîl yr ad-drefnu wrth i enedigaeth *S4C* ddynesu. Yn wahanol i raglenni newyddiadurol y sianel newydd, oedd i roi sylw i faterion 'Cymru, Prydain a'r byd', Cymru'n unig oedd ein maes arferol ni. Ond yn sydyn, cyn diflannu, dyma gael ein hunain yng nghanol stori fwya'r byd, oedd hefyd yn stori ag iddi sawl gwedd Gymreig.

Yn gyntaf, roedd milwyr o Gymru'n dioddef rhan helaeth o'r colledion. Trychineb unigol mwyaf y rhyfel, ar ochr Prydain, oedd yr ymosodiad ar y llong *Sir Galahad*, pan laddwyd 33 o Warchodwyr Cymreig – mwy na holl golledion Prydain yn ystod rhyfel Irac 21 mlynedd yn ddiweddarach. Ar long arall, yr *HMS Ardent*, y collodd Raymond Roberts o Lanberis ei fywyd. Mewn cyfweliad ar 'Y Dydd' gofynnwyd i'w rieni am eu hymateb i'r newydd. Atebodd ei dad trwy ei ddagrau mai meddwl wnaethon nhw am rieni'r cannoedd o Archentwyr ifanc oedd wedi marw pan suddwyd y *General Belgrano*. Hwnnw, i mi, oedd y sylw mwyaf dirdynnol yn y rhyfel i gyd. Mr a Mrs Roberts sy'n cael y gair olaf yn y llyfr hwn.

Y pryd hwnnw fel ym mhob rhyfel diweddar, roedd dadlau ynglŷn â dyletswydd newyddiadurwyr. Ai cefnogi'n 'hogia ni' doed a ddelo, fel y *Sun* a'r rhan fwyaf o bapurau tabloid Llundain, ynteu ceisio datgelu'r gwir er gwaethaf ymdrechion yr awdurdodau i reoli popeth sy'n cael ei weld a'i glywed o faes y gad? Byddai'r rhan fwyaf o ddarlledwyr yn honni eu bod nhw'n wrthrychol, ond mae perygl i ohebwyr sydd mor ddibynnol ar y peiriant militaraidd wrth wneud eu gwaith fynd bron yn rhan ohono. Dydi'r elfen 'hogia ni' byth ymhell. Yr hyn oedd yn cymhlethu'r sefyllfa, wrth wneud adroddiadau Cymraeg am ryfel y Falklands/Malvinas, oedd bod yna 'hogia ni' ar y ddwy ochr.

Penderfynodd 'Y Dydd' dorri tir newydd trwy anfon gohebydd i Batagonia i wneud adroddiadau am brofiadau'r gymuned Gymraeg yno yn ystod y rhyfel. Digwyddiad oedd hi bod ganddon ni newyddiadurwr ifanc ar y staff oedd wedi byw yn y Wladfa ac yn rhugl ei Sbaeneg. Cafodd Russell Isaac fynd yn ôl yno i ganol ei ffrindiau a'i gyfoedion, oedd yn gyfoedion hefyd i'r Archentwyr oedd ar y Malvinas. Ond pan ddechreuodd ei adroddiadau gyrraedd yn ôl mi achoson nhw dipyn o stŵr yn haenau uchaf *HTV*. Y canlyniad, fel y cawn weld ym mhennod 14, oedd bod gohebydd rhyfel cyntaf ac olaf 'Y Dydd' yn ôl wrth ei ddesg ym Mhontcanna cyn bod y rhyfel go iawn wedi dechrau.

Yn ystod y rhyfel ac yn y misoedd wedyn fe aeth nifer o straeon ar led am siaradwyr Cymraeg o'r naill ochr yn cyfarfod â'i gilydd ar faes y gad. Ffrwyth dychymyg, hyd y gallaf weld, oedd y rhain bron i gyd. Roedd y stori fwyaf rhamantus yn sôn am Gymraes oedd yn nyrsio ym Mhort Stanley yn canfod milwr ifanc o'r Wladfa ar ei liniau'n gweddïo mewn eglwys, a'r ddau'n cyd-adrodd 'Ein Tad...' yn Gymraeg. Roedd y stori yma hefyd wedi ei gorliwio, ond doedd hi ddim yn hollol ddi-sail.

Yn 1990, wrth ffilmio yn Eisteddfod y Wladfa yn Nhrelew ar gyfer rhaglen 'Hel Straeon', cefais fy nghyflwyno i ddyn ifanc oedd newydd fod yn arwain côr ar y llwyfan. Ei enw oedd Milton Rhys. Fo oedd y milwr oedd wedi cyfarfod y nyrs. Gwendid mwyaf y stori oedd nad oedd yr un o'r ddau'n siarad fawr ddim Cymraeg. Ond roedden nhw'n falch o'u treftadaeth Gymreig. Roedd gwaed yn dewach na dŵr. Cawn atgofion Milton Rhys a Bronwen Williams ym mhenodau dau a thri.

Yn ystod y daith honno i'r Wladfa fe glywais dipyn am y gwewyr meddwl y bu llawer o'r bobl trwyddo yn ystod y rhyfel rhwng eu gwlad fabwysiedig a'u Hen Wlad. Yr eironi mwyaf creulon i'r Gwladfawyr oedd mai i Borth Madryn, lle glaniodd y Cymry cyntaf ar y *Mimosa* yn 1865, y cludwyd miloedd o garcharorion rhyfel yn ôl i'w gwlad ar ddiwedd y brwydro 117 o flynyddoedd yn ddiweddarach.

Er bod llawer wedi ei sgrifennu a'i ddarlledu am y rhyfel, roeddwn i'n ymwybodol nad oedd dim wedi ei gofnodi'n benodol am y profiadau Cymreig ar y ddwy ochr. Ymgais i lenwi rhywfaint ar y bwlch yw'r llyfr hwn. Daeth i fod, yn rhannol, oherwydd cyfle annisgwyl a gefais y llynedd i weithio gyda Tweli Griffiths, ffrind a chyd-weithiwr ers cyfnod 'Y Dydd', ar raglen gan dîm 'Y Byd ar Bedwar' yn coffáu ugain mlynedd ers y rhyfel. Yn sgîl yr ymchwil hwnnw, ac anogaeth Myrddin ap Dafydd o *Wasg Carreg Gwalch*, fe wnaed cais llwyddiannus am y comisiwn gan *Gyngor Llyfrau Cymru* a'i gwnaeth hi'n bosib imi fynd yn ôl i'r Wladfa yn hydref 2002 i wneud yr ymchwil angenrheidiol ar gyfer y llyfr.

Does gen i mo'r cymhwyster na'r awydd i fod yn hanesydd militaraidd. Mae misoedd cythryblus 1982 wedi eu cofnodi gan lawer o'r rheini'n barod. Er bod y ddwy bennod gyntaf yn gosod rhywfaint o'r cyd-destun hanesyddol i'r hyn sydd i ddod, nid dadansoddiad o'r rhyfel sydd yma ond cofnod o brofiadau unigolion ar y ddwy ochr yr effeithiodd y rhyfel yn uniongyrchol neu'n ymylol ar eu bywydau. Mae'r penodau cyntaf yn sôn yn bennaf am brofiadau'r milwyr, gan roi sylw hefyd i'w cefndir, yr amgylchiadau a'u harweiniodd i ryfel a'r effaith a gafodd hyn ar eu bywydau. Wedyn fe gawn olwg ar effaith y rhyfel ar y gymuned Gymreig ym Mhatagonia.

Fuasai'r llyfr ddim wedi bod yn bosib oni bai am help llawer o bobl ar y ddwy ochr. Ym Mhatagonia roeddwn i'n llwyr ddibynnol ar bobl eraill i'm cyfeirio o'r naill le i'r llall, i gyfieithu mewn cyfweliadau, i chwilio am gysylltiadau a chanfod gwybodaeth. Fedra i byth enwi'r cymwynaswyr i gyd ond yn eu plith roedd Vali James de Irianni, Luned Gonzales, Aira Hughes, Benjamin Lewis, Tegai Roberts a Rhona Gough. Yng

Nghymru bu Monica a Gwyn Jones yn cyfieithu'r cyfweliadau Sbaeneg a recordiais, a chefais gynghorion gwerthfawr gan Tweli Griffiths, Elvey MacDonald, a Ceris Gruffudd o *Gymdeithas Cymru/Ariannin* a'r *Llyfrgell Genedlaethol*. Diolch i griw *Gwasg Carreg Gwalch*, yn enwedig eu golygydd Angharad Dafis, am eu cefnogaeth, eu trylwyredd a'u hamynedd. Mae'r diolch mwyaf i bawb, yn filwyr a sifiliaid, oedd mor barod i gael eu holi am brofiadau digon hunllefus i lawer ohonynt; profiadau na fyddai neb, yng Nghymru nac yn y Wladfa, yn dymuno eu hwynebu byth eto.

Ioan Roberts
Hydref 2003

1. GWLADFAWYR A KELPERS

Pleser annisgwyl oedd cyfarfod Tomi Davies, Hyde Park unwaith eto. Y tro cyntaf imi wneud hynny oedd yn 1990, pan laniodd criw teledu 'Hel Straeon' yno ar fyr rybudd i recordio sgwrs efo fo a'i frawd Edward. Allan o ddeg o frodyr dim ond nhw ill dau oedd ar ôl, dau hen lanc ar ffarm oedd bron cyn hyned â'r Wladfa ac yn gronicl o'i hanes. Mi ffilmion ni'r ddau yn gweithio'r olwyn ddŵr oedden nhw wedi ei hadeiladu eu hunain gan ddefnyddio tuniau paent i sianelu dŵr Afon Camwy trwy dir y ffarm, a recordio Edward yn chwarae 'Mochyn Du' a 'Sosban Fach' ar yr harmoniwm. Roedd y ffarm wedi ei henwi ar ôl cymuned Gymreig arall, yn Scranton, Pennsylvania. O'r Hyde Park hwnnw y cyrhaeddodd tad Tomi ac Edward yn 16 oed yn 1875, ddeng mlynedd wedi glaniad y *Mimosa*.

Erbyn fy ymweliad nesaf â'r Wladfa yn 2002 roedd Edward wedi marw a Tomi'n byw ar ei ben ei hun yn Hyde Park, yn hynod fusgrell yn ôl y sôn. Doedden ni ddim wedi bwriadu galw i'w weld, ond pan barciodd ein gyrrwr y car ar gwr y buarth er mwyn inni gael golwg ar y lle, pwy ddaeth allan o'r tŷ ond Tomi a chawsom wahoddiad i mewn. Roedd o fewn wythnos i'w benblwydd yn 95 oed, wedi crymu'n arw a'i olwg wedi pallu bron yn llwyr. Ond roedd ei gof a'i feddwl a'i dafod mor sionc ag erioed. Aeth i sôn fel yr oedd un o'i frodyr, Wil, wedi dysgu iaith yr Indiaid a gwneud ffrindiau efo nhw. 'Pobol dda, yr Indiaid,' meddai. 'Pobol onest. Fasa Indiad byth yn deud celwydd wrthoch chi. Fasa fo byth yn dwyn, dim ond er mwyn cael bwyd. Os byddai'r fam heb ddigon o laeth i'r babi mi fyddai'n ei fwydo fo efo wy estrus. Mi oedd gynnyn nhw lawer i'w ddysgu i ni. Pobol ddeallus.' Ac wedyn mi ychwanegodd, mwy mewn direidi na thristwch, 'Mae iaith yr Indiaid wedi marw, mae'r iaith Gymraeg yn marw, a dw inna ar fy ffordd, waeth i minna fynd ddim!'

Er na fu erioed yng Nghymru mae Tomi, yn ôl un o'i gymdogion, yn fwy cartrefol yn siarad Cymraeg na Sbaeneg. Ond dydi hynny ddim yn ei wneud yn llai o Archentwr na phawb o'i gwmpas. Yn y sgwrs honno efo'r ddau frawd yn 1990, gofynnodd Gwyn Llywelyn beth oedden nhw, Cymry ynteu Archentwyr. Roedd eu hatebion yn dangos nad yw hunaniaeth bob amser yn ddu a gwyn.

Edward (yn bendant): Archentwyr.
Tomi (yn betrusgar): Ie... siwr...
Gwyn: Dach chi ddim yn meddwl amdanoch eich hunain fel Cymry?
Edward: Na, dim ond bod ni'n ei siarad o.
Tomi: Ie, Cymry ydan ni wrth gwrs.
Edward: Wel ie, Cymry ydan ni.
Tomi: Ond Archentwyr ynte, wedi'n geni yn Argentina...

Dri chan milltir i'r Gorllewin o arfordir Patagonia mae yna bobl nad oes ganddyn nhw ddim gronyn o amheuaeth i bwy maen nhw'n perthyn. Fe gyrhaeddodd arloeswyr eu gwladfa nhw ryw ddeng mlynedd ar hugain cyn taith y *Mimosa* i Batagonia. Ar ynysoedd y Falklands, fel yn ardaloedd Unoliaethol Gogledd Iwerddon, mae'r *union jack* yn bwysicach nag ydyw yn Lloegr. Roedd yr hawl i ddal i yrru ar y chwith yn un o'r egwyddorion y bu brwydro yn eu cylch yn 1982. Un o ganlyniadau ymweliad byr yr Archentwyr y flwyddyn honno oedd cefnu dros dro ar yr arferiad o ganu 'God Save the Queen' ar ddiwedd gwasanaethau yn yr eglwys. Ond roedd gan

Gymry'r Wladfa eu geiriau eu hunain ar yr un dôn, yn diweddu gyda'r broffwydoliaeth optimistaidd braidd.

Cawn yno fynd mewn hedd
Heb brofi brad na chledd
A Chymro ar y sedd;
Boed mawl i Dduw.

Mae'r gwahaniaeth agwedd rhwng Prydeinwyr y Falklands a Chymry Patagonia yn cael ei nodi yn y llyfr *The Falklands War 1982* gan Max Hastings a Simon Jenkins:

Ar yr wyneb hwyrach ei bod hi'n ymddangos fod disgynyddion y gwladychwyr Albanaidd a Chymreig ym Mhatagonia gyfagos yn meddu ar nodweddion tebyg i bobl y Falklands. Ond mae hyd yn oed y Cymry yn Puerto Madryn yn Archentwyr i'r carn ac yn falch o hynny. Sbaeneg (neu Gymraeg) yw eu hiaith bob dydd, nid Saesneg. Does gan ynyswyr y Falklands, fel y dywedodd un ohonynt gyda balchder, 'ddim owns o America Ladin' ar eu cyfyl.

Rhan o'r ymchwydd imperialaidd Prydeinig oedd yr ymsefydlu cynnar ar y Falklands, ac roedd gan yr Ymerodraeth ddigon o reswm ac adnoddau i'w cynnal a'u gwarchod. Dianc o afael yr imperialaeth a'r diwylliant Seisnig oedd un o'r cymhellion a arweiniodd y Cymry i Batagonia. Ar ôl cyrraedd, a gweld fod breuddwyd rhai o'r sylfaenwyr am annibyniaeth braidd yn anymarferol, doedd dim amdani ond gwneud y gorau o'r sefyllfa ac ymdoddi i ryw raddau i'w gwladwriaeth newydd.

Un rheswm fod Ariannin yn fodlon eu croesawu oedd eu bod yn llenwi gwagle a allai gael ei wladychu gan rywun arall. Y bygythiad mwyaf amlwg oedd Prydain, oedd yn eu golwg nhw wedi lladrata'r Malvinas ryw ddeng mlynedd ar hugain ynghynt. Ac eto, ar adegau o dyndra, byddai'r awdurdodau

Archentaidd yn amheus o fwriadau'r Gwladfawyr ac yn eu gweld yn rhan o'r imperialaeth yr oedden nhw wedi dianc rhagddi, imperialaeth oedd yn llygadu De America. Roedd bodolaeth y Malvinas felly'n ddylanwad anuniongyrchol ar fywyd y Wladfa o'r dechrau. Gan mai Patagoniaid oedd cymdogion agosaf yr ynysoedd, roedd yn anochel fod rhywfaint o gysylltiadau masnachol a chymdeithasol wedi datblygu rhyngddynt dros y blynyddoedd. Dywedir bod rhai o Gymry cynnar y Wladfa wedi cael eu temtio, pan aeth pethau'n galed, i godi pac a symud i fyw i'r ynysoedd. Ond yn ôl Elvey MacDonald, awdurdod ar hanes y Wladfa, mae'r stori wedi ei gorliwio:

Ym 1867 fe anfonwyd deiseb i'r ynysoedd wedi'i llofnodi gan 19 o bobl y Wladfa. Ond wedyn fe ddarganfuwyd nad oedd y rhan fwyaf o bobl oedd yn cael eu henwi fel llofnodwyr yn ymwybodol o'r ddeiseb, ac roedd ambell i blentyn yn eu plith nhw hefyd. Gofyn oedd y ddeiseb i lywodraethwr yr ynysoedd sicrhau llong i'w cludo nhw o'r Wladfa, ond doedden nhw ddim yn dweud mai i'r ynysoedd yr oedden nhw eisiau mynd. Mi faswn i'n meddwl mai'r bwriad oedd dychwelyd i Brydain, y syniad oedd, dybiwn i, y byddai unrhyw long oedd yn mynd i'r ynysoedd neu o'r ynysoedd yn galw yn y Wladfa i gasglu'r 19 anfodlon yma. Ond ddigwyddodd hynny ddim. O fan'na y cododd y myth 'ma bod 'na gais wedi'i wneud i symud i'r ynysoedd.

* * *

Roedd Joseph Seth Jones yn un o'r cant a hanner o deithwyr ar y *Mimosa* a sefydlodd y Wladfa yn 1865, ac fe wnaeth gymwynas trwy gadw dyddiadur o'r fordaith. O fewn blwyddyn neu ddwy, pan oedd bywyd yn galed, gweithiodd ei ffordd ar long i ynysoedd y Falklands. Ond doedd pethau fawr gwell yno ac erbyn 1868 roedd yn ôl adref yn Sir Fflint. Mewn llythyr at *Y Faner* mynegodd farn ddi flewyn ar dafod am yr ynysoedd. 'Os yw'n weddus cymharu anifeiliaid,' meddai, 'yr oedd gwartheg tenau Pharo yn dewach na'r gwartheg tewaf yn Stanley.'

Roedd hyn yn ddisgrifiad caredig o'i gymharu â barn y Sais, Samuel Johnson. Roedd y lle, meddai hwnnw, yn stormus yn y gaeaf ac yn llwm yn yr haf: *'an island which not even the southern savages have graced with habitation.'* Does dim dwywaith y byddai trigolion presennol yr ynysoedd, y 'Kelpers', yn dweud bod disgrifiadau fel hyn yn gwneud cam mawr â bro eu mebyd. Ac eto does yna ddim manteision materol amlwg i gyfiawnhau rhyfel 1982, a gafodd ei ddisgrifio fel dau ddyn moel yn ymladd am grib.

Mae asgwrn y gynnen dipyn yn hŷn na gwladwriaeth Ariannin, ac yn ymwneud â dyheadau imperialaidd Sbaen, Prydain a Ffrainc. Doedd y dyn cyntaf y mae cofnod iddo weld yr ynysoedd ddim yn perthyn i'r un o'r pwerau hynny: llongwr o'r Iseldiroedd oedd Simon de Weert, a hwyliodd heibio yn 1600. Ymddengys mai'r cyntaf i roi troed ar y tir oedd y Capten John Strong, Sais a laniodd yno mewn storm yn 1690 a bedyddio'r culfor rhwng y ddwy brif ynys yn Falkland Sound ar ôl pennaeth Morlys Prydain. Yn 1764 fe hwyliodd Louis-Antoine de Bougainville yno o San Malo yn Llydaw. Sefydlodd y gymuned gyntaf i fyw'n barhaol ar yr ynysoedd yn Port Louis ar Ynys y Dwyrain, a hawlio'r ynysoedd yn enw Ffrainc. Pysgotwyr o San Malo a roddodd yr enw Iles Malouines ar yr ynysoedd, ar ôl eu porthladd brodorol. Allan o hwnnw y daeth yr enw Sbaeneg Islas Malvinas, sydd felly'n enw gyda tharddiad Celtaidd. Yn fuan wedyn, cyrhaeddodd llongwyr o Loegr i sefydlu Port Egmont yng ngorllewin Falkland, a chafwyd y ffrae ryngwladol gyntaf ynglŷn â'r berchnogaeth – rhwng Prydain a Ffrainc.

Yn 1767 y rhoddodd Sbaen ei bys yn y briwes. Roedd y Sbaenwyr yn credu bod yr ynysoedd yn rhan o'u tiriogaeth yn Ne America o dan gytundeb blaenorol. Fe dalon nhw i'r

Ffrancwyr am adael Port Louis, ac ymhen dwy flynedd fe anfonodd Madrid longau rhyfel a milwyr i ddiarddel y Saeson o Port Egmont. Wedi pob math o fygythiadau mi ganiatawyd i Brydain anfon ei dinasyddion yn ôl yno 'i adfer anrhydedd y Brenin' ar yr amod eu bod nhw'n cydnabod sofraniaeth Sbaen dros yr ynysoedd. Felly y bu pethau tan 1774 pan adawodd y Prydeinwyr eto, gan adael plac ar eu holau yn datgan mai nhw oedd y perchnogion o hyd.

Yn 1816 y daeth gwladwriaeth Ariannin i fodolaeth, gan gyhoeddi ei hannibyniaeth oddi wrth Sbaen. Cyhoeddodd mai hi oedd etifedd holl diriogaeth Sbaen yn yr ardal, gan gynnwys y Malvinas. Erbyn hynny roedd milwyr Sbaen wedi gorfod gadael yr ynysoedd er mwyn gwarchod eu buddiannau ar y tir mawr. Dim ond môrladron, troseddwyr a physgotwyr achlysurol oedd yn byw yno tan 1820, pan anfonodd llywodraeth newydd Buenos Aires long yno a phenodi swyddogion milwrol i warchod ei hawliau. Yn 1826 y sefydlodd yr Archentwyr eu cymuned gyntaf yn Puerto Soledad, gyda gŵr o'r enw Louis Vernet yn Llywodraethwr.

Roedd yr 1830au yn ddegawd cythryblus ar yr ynysoedd. Dyna pryd y gwelwyd y digwyddiadau oedd i arwain at y rhyfel ganrif a hanner yn ddiweddarach. Yn 1831 fe rwystrodd Vernet longau Americanaidd rhag hela morloi yng nghyffiniau'r ynysoedd. Gydag anogaeth y conswl Prydeinig yn Buenos Aires, anfonodd yr Americanwyr long ryfel, y Lexington, yno i 'ddysgu gwers' i'r Llywodraethwr. Dinistriodd yr Americanwyr gaer yn Puerto Soledad ac anfon Vernet a'i swyddogion adref, gan ddatgan nad oedd America erioed wedi cydnabod hawl Ariannin i fod ar yr ynysoedd. Yn yr anhrefn a ddilynodd, anfonodd Buenos Aires lywodraethwr arall i gymryd lle Vernet ond cafodd hwnnw'i lofruddio gan ysbeilwyr o'i wlad ei hun.

Yn 1833 gwelodd Prydain ei chyfle. Gyrrodd y Prif Weinidog, Palmerston, ddwy long ryfel i'r ynysoedd, i godi'r *union jack* a disodli'r Archentwyr. Yr unig wrthwynebwyr oedd criw o *gauchos* gwyllt o'r Cyfandir o dan arweiniad un o'r enw Antonio Rivero. Fe gymerodd hi chwe mis i'r Saeson gael y lle i drefn, ac mae Rivero'n arwr cenedlaethol yn Ariannin hyd heddiw. Ond dyna pryd y dechreuodd Prydain goloneiddio'r ynysoedd o ddifri, gweithred anghyfreithlon y bwli, yng ngolwg Ariannin, un a adawodd graith ddofn ar hunanhyder y genedl ifanc.

Trwy'r blynyddoedd dydi'r Archentwyr erioed wedi rhoi'r gorau i fynnu mai nhw biau'r hawl gyfreithiol a hanesyddol ar yr ynysoedd. Bu llawer o drafod diplomyddol ar y pwnc, gyda Phrydain o bryd i'w gilydd yn cydnabod yn breifat bod yna sail i safbwynt Ariannin. Wedi i'r ymerodraeth Brydeinig ddadfeilio, dechreuwyd gweld trefedigaethau ym mhen draw'r byd fel pethau costus a diangen. Ddwy flynedd cyn y rhyfel roedd Nicholas Ridley, un o weinidogion ffyddlonaf Mrs Thatcher, yn cyflwyno cynllun adlesu i Dŷ'r Cyffredin a fyddai'n trosglwyddo sofraniaeth yr ynysoedd i Ariannin. Roedd yr ynyswyr yn synhwyro y gallen nhw gael eu bradychu gan y famwlad.

Yna fe benderfynodd Leopoldo Galtieri, er syndod i'r byd, fynnu'r ynysoedd yn ôl trwy rym. Galtieri oedd y trydydd unben militaraidd i reoli'r wlad er pan gipiodd y fyddin reolaeth yn 1976 gan arwain at y 'rhyfel budr' a welodd filoedd o ymgyrchwyr y chwith yn cael eu camdrin a'u llofruddio. Tynnu sylw oddi ar y problemau economaidd oedd prif amcan Galtieri wrth anfon ei filwyr i'r Malvinas. Fe weithiodd ar y dechrau, gyda thorfeydd oedd newydd fod yn protestio yn ei erbyn yn dathlu ar strydoedd Buenos Aires o fewn dyddiau. Roedd Galtieri wedi disgwyl cael cefnogaeth ei ffrind gwrth-Gomiwyddol Ronald Reagan, ond ddigwyddodd hynny ddim. Roedd Galtieri wedi meddwl na fyddai Prydain, oedd newydd gyhoeddi eu bod nhw'n tynnu'r unig long ryfel, yr *Endurance*, allan o'r ardal, yn poeni digon am yr ynysoedd i fynd i ryfel yn eu cylch. Ei gamgymeriad mwyaf oedd gweithredu yn ystod teyrnasiad Margaret Thatcher, arweinydd oedd mor barod ag yntau i droi'r gwaed i'w melin ei hun.

Y canlyniad oedd rhyfel imperialaidd hen ffasiwn oedd yn ymddangos yn hurt i weddill y byd. Tua 1800 o bobl oedd yn byw ar yr ynysoedd yr adeg honno, ac fe laddwyd tua mil, rhwng y ddwy ochr, yn y rhyfel i'w rhyddhau. Ers hynny mae'r Falklands yn ffynnu, y boblogaeth yn cynyddu, a threthdalwyr Prydain yn talu £70 miliwn y flwyddyn am eu hamddiffyn. Does dim rhaid i'r ynysoedd boeni bellach y byddan nhw'n cael eu bradychu gan eu henwlad, ac mae llawer o'r diolch am hynny i Leopoldo Galtieri.

A'r Wladfa Gymreig? Am y tro cyntaf yn ei hanes mae'r iaith Gymraeg ar gynnydd yno ymhlith yr ifanc. Y rheswm yw cynllun a ddechreuwyd gan y Swyddfa Gymreig, ac sydd newydd gael ei ymestyn gan Lywodraeth y Cynulliad, i hyrwyddo'r iaith yno. Mae'n golygu talu cyflog a chostau tri o athrawon o Gymru i fynd i'r Wladfa bob blwyddyn, rhoi arian i nifer o athrawon lleol am ddysgu'r Gymraeg, a chyfrannu at gostau pedwar myfyriwr o'r Wladfa sy'n dod i astudio yn Llambed yn flynyddol. Cost y cyfan yw £35,000 y flwyddyn, un rhan o ddwy fil o gost amddiffyn y Falklands. Cychwynnwyd y cynllun athrawon yn sgîl addewid a wnaed gan Weinidog yn y Swyddfa Gymreig yn ystod ei ymweliad â'r Wladfa yn nechrau'r nawdegau. Ei enw oedd Rod Richards. Os oes gan y Kelpers le i ddiolch i Galtieri am ddiogelu eu Prydeindod, mae gan y Gwladfawyr hefyd ryw gymaint o ddyled i blaid Margaret Thatcher am roi hwb i'w Cymreictod.

2. CRONICL 1982

Mawrth 19
Gwerthwyr sgrap a dyrnaid o filwyr o Ariannin yn glanio ar ynys De Georgia, ac yn codi baner Ariannin yno.

Ebrill 2
Miloedd o filwyr Archentaidd yn glanio ar y Malvinas. Grŵp o fôr-filwyr Prydeinig yn eu herio.

Ebrill 3
Milwyr Ariannin yn meddiannu ynysoedd De Georgia a De Sandwich.
Y Cenhedloedd Unedig yn galw ar Ariannin i adael yr ynysoedd.

Ebrill 5-8
Wyth mil o filwyr y Tasglu Prydeinig yn gadael Portsmouth a Southampton ar eu ffordd i Dde'r Iwerydd.

Ebrill 8
Ysgrifennydd Gwladol yr Unol Daleithiau, Alexander Haig, yn cyrraedd Llundain i geisio cymodi.

Ebrill 17
Haig yn cynnal trafodaethau gyda llywodraeth Buenos Aires.

Ebrill 25
Commandos Prydeinig yn ailfeddiannu De Georgia.

Ebrill 30
Ronald Reagan yn cyhoeddi bod yr Unol Daleithiau'n cefnogi Prydain, ac yn cyflwyno sancsiynau yn erbyn Ariannin.

Mai 2
Arlywydd Periw yn cyflwyno cynllun heddwch i Galtieri. Arlywydd Ariannin yn ei dderbyn gyda rhai newidiadau.

Digwyddiad mwyaf dadleuol y rhyfel wrth i'r llong danfor *HMS Conqueror* suddo'r *General Belgrano* y tu allan i ardal gwaharddiad Prydain. Bron 400 yn cael eu lladd. Y *junta* yn gwrthod cynllun Periw.

Mai 4
Awyrlu Ariannin yn suddo'r *HMS Sheffield*..

Mai 7
Y Cenhedloedd Unedig yn cychwyn trafodaethau heddwch.

Mai 14
Yr *SAS* yn ymosod yn y nos ar un o'r ynysoedd bach, Pebble Island, gan ddinistrio nifer o awyrennau rhyfel Ariannin.

Mai 18
Prydain yn gwrthod cynllun heddwch Ysgrifennydd Cyffredinol y Cenhedloedd Unedig, Perez de Quellar.

Mai 21
Lluoedd Prydain yn glanio ger Port San Carlos ar Ddwyrain Falkland a sefydlu canolfan yno.

Yr *HMS Ardent* yn cael ei suddo gan Awyrlu Ariannin.

Mai 25

HMS Coventry a'r *Atlantic Conveyor* yn cael eu taro.

Mai 28

Catrawd 2 Para yn ennill brwydr Darwin a Goose Green. Tua 200 o Archentwyr ac 17 o filwyr Prydeinig yn cael eu lladd.

Mai 31

Milwyr Prydain yn meddiannu Mount Kent ac yn amgylchynu Port Stanley.

Mehefin 4

Prydain yn defnyddio'i *veto* yng Nghyngor Diogelwch y Cenhedloedd Unedig i atal cynnig heddwch Panama a Sbaen.

Mehefin 6

Cyfarfod o arweinwyr y byd yn Versailles yn cefnogi safbwynt Prydain ar yr ynysoedd.

Mehefin 8

Awyrlu Ariannin yn ymosod ar y *Sir Galahad* a'r *Sir Tristram* ger Bluff Cove. 31 o aelodau'r Gwarchodlu Cymreig ymysg y 50 a laddwyd.

Mehefin 12

Prydain yn ennill brwydrau Mount Longdon, Two Sisters a Mount Harriet.
HMS Glamorgan yn cael ei tharo gan Exocet.

Mehefin 14

Pennaeth Lluoedd Ariannin, y Cadfrifog Menendez, yn arwyddo Cytundeb Heddwch.

Mehefin 17

Galtieri'n cael ei orfodi i ymddiswyddo wedi protestiadau yn ei erbyn, a theyrnasiad y *junta* milwrol yn dirwyn i ben.

Mehefin 20
Prydain yn cyhoeddi'n ffurfiol bod y rhyfel drosodd.

Diwedd Mehefin
Mwy na 17,000 o garcharorion rhyfel Ariannin yn cael eu cludo adref.

MAES Y GAD

3. BRONWEN WILLIAMS, PORT STANLEY

Petai rhywun wedi gofyn i bobl Cymru cyn 1982 ymhle yr oedd Ynysoedd y Falklands, mae'n debyg mai ateb y rhan fwyaf fyddai 'rywle yn yr Alban'. Dyna oedd cred llawer o'r milwyr a anfonwyd yno, cyn darganfod yn sydyn eu bod nhw, yng ngeiriau un Gwarchodwr Cymreig, 'yn bellach o beth uffar na hynny'. Ond i'r Alban, nid i Dde'r Iwerydd na De America, y bu'n rhaid i minnau deithio i glywed am ddyfodiad yr Archentwyr i Port Stanley trwy lygad un oedd yn byw yno. Mewn tref farchnad braf a hanesyddol o'r enw Haddington, bymtheng milltir i'r De Orllewin o Gaeredin, y cyfarfyddais â Bronwen Douse, neu Bronwen Williams fel yr oedd hi adeg y rhyfel.

Bronwen oedd y nyrs Gymreig oedd wedi cyfarfod milwr Archentaidd o dras Gymreig mewn eglwys ym Mhort Stanley. Roedd y digwyddiad wedi cael ei or-ramantu, ond yn dal yn stori oedd yn mynd i graidd trueni rhyfel y Falklands/Malvinas, os nad, yn wir, rhyfeloedd yn gyffredinol. Roeddwn i wedi cyfarfod y milwr, Milton Rhys, yn y Wladfa yn 1990. Tua'r un adeg cefais wybod bod gan y nyrs, Bronwen, gysylltiadau teuluol â phentre Cegidfa ar gyrion y Trallwng, a'i bod yn nyrsio'r pryd hwnnw yn Amwythig. Ond ble'r oedd hi erbyn hyn? Mae'n fantais weithiau byw mewn gwlad fach.

Mae Idwal Davies, cyn-ohebydd y *County Times*, yn adnabod bron pawb yn Sir Drefaldwyn, ond er syndod doedd o ddim yn adnabod Bronwen. Ond mi roddodd rif ffôn ei gyn-olygydd,

George McHardy, oedd yn byw yng Nghegidfa. Na, doedd yntau ddim yn adnabod Bronwen, ond mi fyddai'n holi ei wraig, oedd yn adnabod pawb yn y pentre. Ffoniodd yn ôl ymhen pum munud, ac es innau i Gegidfa i guro ar ddrws Mrs Betty Williams, gwraig o Ddyfnaint yn wreiddiol. Cadarnhaodd mai hi oedd mam Bronwen a bod ei merch bellach yn briod, yn fam i ddwy ferch, ac yn byw yn yr Alban.

Pan gyrhaeddais y tŷ yn Haddington fisoedd yn ddiweddarach, dim ond cael a chael oedd hi; mis arall, a buaswn wedi gorfod teithio'n llawer pellach. Roedd Bronwen a'i theulu ar fin codi pac a mynd i fyw, unwaith eto, i Ynysoedd y Falklands. Ond yng nghanol prysurdeb y pacio, roedd ganddi amser i sôn am ei chefndir ac i hel atgofion am flwyddyn anturus 1982.

Fy nhaid ar ochr fy nhad oedd y Parchedig Hywel Williams. Elen Jones oedd enw fy nain cyn priodi, ac roedd y ddau'n dod o Flaenau Ffestiniog yn wreiddiol. Ar un cyfnod roedd o'n weinidog yn y Trallwm, lle ganwyd fy nhad, Ieuan Meirion Williams. Flynyddoedd wedyn mi ymddeolodd fy nhad a mam i Gegidfa yn yr un ardal, wedi iddo fo fod yn ddeintydd yn Llundain am y rhan fwya o'i oes.

Mi wnes i fy hyfforddiant nyrsio cyffredinol yn Llundain, a hyfforddi fel bydwraig yn Amwythig. Mi fum i'n gweithio ymysg yr Escimos yn Labrador am ddwy flynedd a hanner, wedyn mi ddois adre i weld y teulu ac aros mwy nag oeddwn i wedi'i fwriadu ar ôl i fy nhad gael strôc. Ar ôl hynny mi es i'r Falklands ym mis Hydref 1980. Y cyfan oeddwn i eisiau oedd bywyd gwledig, a byw yn y gymuned fach efo'r cyfle i ofalu'n barhaol am yr un bobol, yn lle bod yn nyrs oedd yn trin dieithriaid trwy'r adeg. Roedden nhw'n eich nabod chi a chithau'n eu nabod nhw, roeddech chi'n gwybod pa driniaeth oeddech chi wedi'i rhoi iddyn nhw yn y gorffennol ac yn gyfarwydd â'u ffordd nhw o fyw, ac yn gobeithio bod y gofal oeddech chi'n ei roi yn berthnasol i'w bywydau nhw.

Doeddwn i'n gwybod dim byd cyn mynd yno am yr anghytuno ynglŷn â pwy oedd biau'r ynysoedd. Felly roedd digwyddiadau Ebrill 1982 yn dipyn o sioc! Roedden ni wedi cael rhybudd gan y llywodraethwr Rex Hunt ar y radio tua wyth o'r gloch y noson cynt, yn dweud bod llynges Ariannin allan ar y môr ac yn hwylio i'n cyfeiriad ni. Ac wrth gwrs roedden ni'n gwybod am y digwyddiadau rhyfedd yn Ne Georgia cyn hynny, efo'r gwerthwyr sgrap, oedd wedi'n gwneud ni i gyd yn nerfus ac yn meddwl beth ar y ddaear oedd yn digwydd. Doedd y rhybudd ddim yn rhoi llawer o amser inni baratoi yn yr ysbyty ar gyfer beth bynnag oedd o'n blaenau ni, ond mi wnaethon ni gynlluniau ar gyfer symud y cleifion hynaf i ran fwya diogel yr adeilad petai raid.

Roeddwn i'n gweithio y bore hwnnw, a thua saith neu wyth o'r gloch y bore mi glywson sŵn saethu. Roedden ni'n gwrando ar y radio lleol trwy'r adeg i drio cael gwybod beth oedd yn digwydd. Wedyn mi ffoniodd rhywun i ddweud bod y rhai cyntaf oedd wedi cael eu clwyfo ar eu ffordd aton ni. Archentwyr oedd y rheini, wedi cael eu saethu y tu allan i Dŷ'r Llywodraeth. Roedden ni bron drws nesa i'r fan honno, felly doedd ganddyn nhw ddim llawer o ffordd i ddod â nhw i'r ysbyty.

Roedd o'n deimlad rhyfedd iawn, dyma lle'r oedden ni'n rhoi union yr un gofal meddygol a gofal nyrsio i'r rhain â'r hyn fydden ni'n ei roi i'n pobol ni'n hunain. Roedden ni'n trio achub bywydau pobol oedd wedi cael eu saethu pan oedden nhw'n trio ymosod arnon ni, oedd ddim yn gwneud llawer o synnwyr.

Dwi'n cofio bod yna dri ohonyn nhw, oedd wedi cael eu saethu gan y *Royal Marines* yng nghyffiniau Tŷ'r Llywodraeth. Roedden nhw'n gwisgo festiau gwrth-fwledi, ond roedd y bwledi rywsut wedi mynd trwy'r rheini. Peth arall ydw i'n ei gofio'n glir ydi bod y criw meddygol ddaeth i mewn i'r ysbyty efo'r Archentwyr yn dal i gario'u gynnau, fel tasen nhw'n meddwl bod ganddon ni ynnau yn yr ysbyty, oedd yn rhyfedd iawn. Mi perswadion ni nhw i adael eu gynnau wrth y drws. Wedyn mi weithion ni efo'n gilydd fel tîm orau gallen ni, er gwaetha'r broblem iaith, er mwyn trio arbed y bobol yma. Ond unwaith y daeth hi'n amlwg nad oedd dim mwy y gallen ni ei wneud drostyn nhw mi glirion nhw ar eu holau a mynd, gan ysgwyd llaw efo ni a dweud 'Cheerio' fel tasen nhw wedi galw i lanhau'r ffenestri, oedd yn sefyllfa ryfedd iawn. Roedd hi fel tase pob awyrgylch normal wedi ei roi o'r neilltu am y tro. Ond roeddwn i'n ymfalchïo'n bod ni i gyd wedi llwyddo i gydweithio mewn ffordd effeithlon yn y sefyllfa feddygol, a gwneud ein gorau dros y bobol yma. Doedd yna ddim awgrym o gwbwl o beidio gwneud ein gorau jest am eu bod nhw wedi'n goresgyn ni. Mi fu dau o'r cleifion farw, ond os ydw i'n cofio'n iawn mi aeth yr Archentwyr â'r trydydd i ffwrdd i rywle a chawson ni ddim gwybod beth ddigwyddodd i hwnnw.

Yn hwyrach yr un diwrnod, pan oedden ni'n teimlo'n ddigon dewr i edrych allan trwy'r ffenest ar ôl bod yn swatio yn rhan fwya cadarn yr ysbyty, roedd yn brofiad arswydus gweld y tanciau'n ymlwybro i fyny ffyrdd bach y pentre, a'r tyredau gynnau ar y top yn troelli fel tasen nhw'n disgwyl i ni saethu atyn nhw, a ninnau heb yr un gwn rhyngddon ni. Roedd hyn yn edrych yn ffars hollol, efo lled y tanc yn llenwi'r ffordd i gyd, fel tasech chi'n byw mewn pentre tawel ym Mhrydain ac yn edrych allan trwy'r ffenest ac yn sydyn yn gweld tanc yn dod amdanoch chi. Doedd 'na ddim bygythiad o gwbl ganddon ni, ac roedd y peth i gyd yn frawychus. Doedden nhw ddim yn saethu aton ni wrth gwrs, dim ond eu bod nhw'n amheus o beth fuasen nhw'n ei ddarganfod.

Y *Royal Marines* oedd yr unig amddiffyniad oedd ganddon ni, a dim ond 40 o'r rheini oedd yna fel arfer, ar secondiad o Brydain. Ond rwan mi oedd rhai o'r rheini wedi mynd adre a 40 arall yn cyrraedd i gymryd eu lle, felly mi ddaeth y gorsegyniad pan oedd 'na tua 60 o'r *Marines* ar yr ynys, y nifer ucha yn ystod y flwyddyn.

Ar ôl y diwrnod cynta wnaethon ni ddim trin llawer o glwyfau'r rhyfel yn yr ysbyty. Adeilad hir, cul oedd o, efo un rhan, lle'r oeddwn i'n gweithio, ar gyfer achosion difrifol a'r pen arall fwy fel cartref preswyl. Mi benderfynodd yr Archentwyr y bydden nhw'n meddiannu'r pen hwnnw o'r ysbyty, ac mi roeson nhw gyrten ar draws i rannu'r lle'n ddau hanner. Doedden ni ddim yn cael mynd i'w hanner nhw, felly ddim yn gweld llawer o'u cleifion.

Dwi'n cofio fel y byddwn i'n deffro ambell fore braf, mi fyddai popeth mor heddychlon, yr haul yn tywynnu a'r môr yn dawel. Mi fyddwn i'n edrych allan trwy'r ffenest ac yn meddwl, 'Sut mae modd iddi fod mor heddychlon yn fan hyn yng nghanol rhyfel?' Ond mi ddaethon ni'n reit drefnus a disgybledig yn y ffordd oedden ni'n trefnu'n bywydau. Unwaith y gosodon nhw'r cyrffiw, oedd yn golygu nad oedden ni ddim yn cael mynd allan ar y strydoedd ar ôl hanner awr wedi pedwar yn y pnawn, roedden ni'n gwybod bod yn rhaid inni orffen ein siopa, neu unrhyw beth arall fyddai'n golygu mynd allan ar y stryd, cyn yr amser hwnnw. Gan fy mod i'n gweithio yn yr ysbyty mi fyddwn i'n aml yn gorfod cael pobl eraill i wneud pethau fel siopa ar fy rhan i. Ond roedden ni'n cyd-dynnu'n dda fel cymuned a rydw i'n cofio meddwl bod hyn yn swnio'n debyg i'r hyn y byddai fy rhieni'n sôn amdano'n digwydd yn yr ail ryfel byd. Roedden nhw'n cofio y teimlad o *camaraderie* a phawb yn helpu'i gilydd. Yn sicr roedd hynny'n digwydd efo ni hefyd.

Roedden ni'n lwcus iawn yn un peth – doedd cael digon o fwyd byth yn broblem. Yn y Falklands dim ond dwywaith neu dair y flwyddyn y byddai'r cwch yn dod i mewn, felly roedden ni wedi hen arfer cadw digon o stoc. Roedd hynny'n wir am y siopau hefyd, mi fyddai ganddyn nhw bob amser ddigon i'w cadw nhw i fynd. Roedden ni wedi arfer gweld y llongau'n cael eu dal yn ôl gan y tywydd ac yn y blaen, ac yn gwneud yn siwr bod 'na ddigon wrth gefn.

Felly fuo 'na ddim prinder efo ni, ond yn sicr mi oedd hynny'n broblem i'r Archentwyr. Roedden ni'n gweld nad oedden nhw'n cael eu bwydo'n iawn, ac mi fydden nhw'n aml yn mynd o gwmpas y tai efo'u gynnau yn mynnu cael bwyd. Roedd hyn yn druenus a dweud y gwir, ac yn aml mi fydden ni'n teimlo'n drist drostyn nhw. Ond mi oedd hyn yn anodd i ni hefyd, achos doedden ni ddim eisiau cael ein dal yng ngwleidyddiaeth yr holl beth. Tasech chi'n rhoi unrhyw fwyd i Archentwr mi fyddai 'na ugain arall yn galw ddau funud wedyn. Roedd rhai ohonyn nhw'n foneddigaidd iawn ond roedd eraill yn medru bod yn hynod o ymosodol, doeddech chi byth yn siwr beth i'w ddisgwyl. Yn yr ysbyty mi fydden ni weithiau'n cael milwyr Archentaidd yn dod draw efo'u gynnau ac yn gofyn am gael gweld rhyw bapurau neu'n mynnu cael chwilio'r lle, ond wedyn mi fyddai rhai o'r swyddogion, oedd yn siarad Saesneg, yn galw ac yn llawn ymddiheuriadau am y criw cyntaf. Ond cyn gynted bod y rheini wedi mynd, mi fyddai criw gwyllt arall yn dod heibio. Doedden ni byth yn gwybod lle'r oedden ni'n sefyll.

Roedd hi'n anodd iawn inni gadw mewn cysylltiad efo pawb ar yr ynysoedd a gwneud yn siwr eu bod nhw'n iawn. Rydw i'n cofio'r meddyg teulu oedd yno ar y pryd yn dweud fel y byddai hi'n siarad ar y radio yn y bore ac yn gofyn i'r gwahanol gymunedau os oedd pawb yn iawn yno. Ar un adeg roedd yna ryw helynt wedi bod ar Pebble Island, un o'r ynysoedd lleia, a doedd y bobl yno ddim yn cysylltu efo Port Stanley trwy'r radio. Felly doedd gan y doctor ddim ffordd i wybod sut oedd pawb yno. Ond roedd hi yn gwybod bod pawb o bobl yr ynys efo'i gilydd mewn un tŷ mawr, ac roedd y mwg oedd yn codi o'r corn simdde i'w weld o un o'r ynysoedd cyfagos. Felly roedd y doctor yn gallu galw'r ynys arall ar y radio a gofyn 'How's the bobble hat?' Cyfeiriad oedd hwnnw at ddyn o dras Gymreig, Griff Evans, y rheolwr ar Pebble Island, oedd bob amser yn gwisgo cap gweu efo tolsyn. Os mai'r ateb oedd bod yna fwg yn dod allan o'r corn, roedd hi'n gwybod bod popeth yn dda, neu o leia eu bod nhw'n dal i fedru cadw tân yn y Raeburn. Felly roedd yna bob math o wahanol ffyrdd i gael gwybodaeth am bobol, er bod yr Archentwyr ar adegau yn rhoi taw ar unrhyw gyfathrebu os oedden nhw'n teimlo'i fod yn amheus, neu y gallai arwain at unrhyw gysylltiad efo Prydain.

Un tro, yn ystod y rhyfel, mi ddywedodd rhywun yng Nghymru wrth fy mam eu bod nhw wedi clywed sôn amdana i ar y newyddion Cymraeg ar y radio. Yr hyn oedden nhw wedi'i ddeall oedd fy mod i wedi cael fy hel oddi ar yr ynys, ac roedden nhw'n gofyn oedd hi'n gwybod rhywbeth am y peth. Dydi fy mam ddim yn deall Cymraeg a doedd hi ddim wedi clywed y stori ei hun. Ond mae'n ymddangos mai'r hyn ddywedwyd oedd fy mod i a gweddill y staff wedi cael ein troi allan o'r ysbyty gan yr Archentwyr. Doedd hynny ddim wedi digwydd chwaith, ond roedd o yn bosibilrwydd ar un adeg. Ond rywle yn ystod y cyfieithu o'r Gymraeg roedd un gair wedi'i gamddeall a'r stori wedi newid, nes ei bod hi'n meddwl 'mod i wedi gadael yr ynysoedd. Ond un tro fe gafodd wybod y gwir oherwydd bod ganddon ni rwydwaith o bobol oedd mewn cysylltiad efo'i gilydd ac yn rhannu newyddion a chodi calonnau'r naill a'r llall. Yn rhan o hyn roedd yna deulu yn Nyfnaint mewn cysylltiad trwy radio amatur efo Ynys Saunders oedd mewn cysylltiad ag Ynys Pebble. Felly mi lwyddais i gael neges i fy mam yn dweud fy mod i'n iawn yn Port Stanley. Aeth y neges oddi wrtha i i Pebble, oddi yno i Saunders, trwy'r radio amatur i Ddyfnaint, lle'r aeth y bobol ar y ffôn at fy mam yng Nghymru a dweud wrthi am beidio â phoeni, bod Bronwen yn iawn, oedd yn rhyddhad mawr iddi hi. Roedd 'na lawer o rwydweithio fel yna'n digwydd, pobol yn dod o hyd i bob math o wahanol ffyrdd o drosglwyddo gwybodaeth.

Mewn gwasanaeth yn yr eglwys yn Stanley y gwnes i gyfarfod Milton Rhys. Roedd o wedi dod i'r gwasanaeth ac yn edrych yn hynod o anhapus, roedd yn amlwg bod y peth i gyd yn dipyn o straen arno fo. Roedd o'n eistedd yng nghefn yr eglwys a finnau yn fy lle arferol yn agos i'r tu blaen. Rydw i'n cofio meddwl wrth inni i gyd ddechrau cerdded allan yn araf ar y diwedd, y byddai rhywun yn siwr o fynd i ddweud rhywbeth wrtho fo. Fedrwn i ddim credu y byddai cynulleidfa o bobol ar eu ffordd allan o wasanaeth crefyddol yn medru gadael rhywun yn ei dristwch ar ei ben ei hun heb ddweud rhywbeth. Roeddwn i'n cofio stori'r Mab Afradlon, a doeddwn i ddim eisiau myned o'r tu arall heibio. Roedd yn amlwg ei fod o wedi dod i'r eglwys i addoli a dim jest i weld beth oedd yn digwydd. Felly, tra'r oedden ni i gyd yn dal i gerdded allan yn araf, ac yn brysur yn siarad ac yn cysuro'r naill a'r llall, mi benderfynais os na fyddai neb arall wedi mynd ato fo erbyn i mi ddod gyferbyn â'r sedd lle'r oedd o'n eistedd y buaswn i'n mynd i ddweud rhywbeth wrtho, fel nad oedd o ddim yn cael ei anwybyddu. Ar yr un pryd roeddwn i'n corddi y tu mewn ac yn meddwl 'Pam ydw i'n gwneud hyn? Ydw i'n meddwl 'mod i'n glefrach neu'n fwy Cristnogol na'r bobol eraill yma? Na, dwi'n addo y gwna i hyn os na fydd neb arall wedi gwneud.' Pan ddois i gyferbyn â sedd Milton ro'n i'n ymwybodol y bydda pawb yn edrych arna i. Ond mynd draw ato fo wnes i a dweud rhywbeth byr, rhywbeth fel 'Bendith arnat ti, mae'n ddrwg gen i dy fod ti wedi cael dy ddal mewn sefyllfa fel hyn.' Ac mi es yn syth at y drws cyn i bobol ddechrau meddwl 'mod i'n cydweithredu efo'r gelyn na dim byd felly.

Roedd gen i neges i'w rhoi i'r gweinidog, y Parchedig Harry Bagnell, ac mi sefais wrth y drws nes bydda fo'n rhydd i siarad. Tra'r oeddwn i'n dal i aros amdano mi sylwais ei fod o erbyn hyn wedi mynd i siarad efo Milton, a dyma fo'n galw arna i. 'Tyrd yma, Bronwen,' medda fo. 'Tyrd i siarad efo'r bachgen yma. Mae'n bosib eich bod chi'n perthyn – mae o'n dod o Gymru!'

Roedd o'n deimlad rhyfedd ofnadwy. Y fath gyddigwyddiad. A fedrwn i ddim peidio meddwl hefyd, tybed ai'r math yma o gysylltu rhwng pobol fydd yn helpu i leddfu briwiau ar ôl rhyfeloedd ac i hyrwyddo heddwch rhyngwladol. Roeddwn i'n teimlo'n bod ni mewn sefyllfa oedd yn llawer mwy, ac efo oblygiadau llawer ehangach, na'r hyn oedden ni'n hunain yn ei chanol hi yn y gymuned honno.

Mi ddaeth Milton i'r eglwys amryw o weithiau ar ôl y tro hwnnw. Er 'mod i yn hollol sicr ei fod o yno i fod yn rhan o'r gwasanaeth a dim arall, doedd pawb yn y gynulleidfa ddim mor siwr. Roedd rhai'n meddwl ei fod o yno i'n gwylio ni neu i wrando ar beth oedd y gweinidog yn 'ddweud yn ei bregethau a phethau felly. Dwi'n cofio cyrraedd yn hwyr un dydd Sul ac eistedd yn y cefn. Mi ddaeth Milton i mewn yn hwyrach a doedd ganddo fo ddim lle i eistedd. Mi edrychodd yn gwrtais arna i fel tasa fo'n gofyn oedd 'na le iddo fo yn y sedd, ac wrth gwrs mi wnes arwydd iddo fo eistedd. Doedd ganddo fo ddim llyfr emynau a doedd o ddim yn gwybod lle'r oedden nhw'n cael eu cadw, felly mi rannais fy llyfr i efo fo. Roedd hynny'n teimlo'n beth arwyddocaol rywsut, rhannu llyfr emynau o'ch gwirfodd efo rhywun oedd ar ochr arall y rhyfel.

Ar ôl gweld ein bod ni'n dau'n dod o gymuned Gymreig, roedd hi'n amlwg bod ganddon ni gryn dipyn yn gyffredin. Ar ddiwedd un gwasanaeth mi ddangosodd doriad o'i bapur newydd lleol ym Mhatagonia, gan esbonio bod ei fam wedi sgwennu llythyr ato fo ac wedi gyrru'r toriad. Beth oedd o ond adroddiad ar eisteddfod yr oedd o wedi bod ynddi cyn iddo adael Ariannin. Roedd hyn eto'n deimlad rhyfedd, mi allai hyn fod yn fi yn cael llythyr gan fy mam efo toriad o'r *County Times* yn sôn am eisteddfod yn Sir Drefaldwyn. Roedd hyn i gyd yn gwneud i rywun feddwl am wastraff rhyfel. Y cyfan sy'n cael ei brofi ydi pwy sy'n gallu taro galetaf, nid pwy sy'n iawn a phwy sydd ddim.

Ar ddiwedd y rhyfel roedd yna ymladd trwm yn Stanley ac mi fomiwyd Tŷ'r Llywodraeth lle'r oedd Milton wedi bod yn treulio'i amser. Mi ffoniodd o ni yn yr ysbyty wedyn er mwyn rhoi gwybod ei fod o'n iawn. Roedd y milwyr Prydeinig wedi ei drin o'n dda medda fo. Roedd o wedi cael rhywfaint o anaf, ond dim byd drwg.

Roedd o'n foneddigaidd iawn. Mi wnaethon ni gyfnewid cyfeiriadau rhag ofn y byddai cyfle inni gyfarfod pan fyddai hyn i gyd drosodd. Ac mi sgwennodd at fy mam yn dweud mor falch oedd o ei fod wedi fy nghyfarfod. O edrych yn ôl roedd hyn wedi bod yn drobwynt yn fy hanes innau. Prin oeddwn i wedi cyfarfod unrhyw Archentwyr i siarad efo nhw cyn hyn, ar wahân i ychydig o'r doctoriaid. Ond ar ôl sylweddoli bod yna bobol ar eu hochor nhw oedd ddim eisiau bod yn rhan o'r helynt ac nad oedd ganddyn nhw unrhyw ddrwgdeimlad personol tuag aton ni, roeddwn i'n gweld yr holl beth mewn goleuni gwahanol. Mi roddodd hynny deimladau cryf i mi ynglŷn â rhyfel a heddwch, a sut y dylen ni drio hyrwyddo dealltwriaeth fel bod pethau ddim yn arwain at ryfel.

Allan o bron i fil o bobl a gollodd eu bywydau yn ystod y rhyfel, roedd y cyfan ond tri yn perthyn i luoedd arfog y naill ochr neu'r llall. Roedd un o'r tri eithriad yn ffrind agos i Bronwen. Cymraes oedd hithau, o Landrindod.

Susan Whitney oedd ei henw hi, roedd hi'r un oed â fi ac yn briod efo milfeddyg yr ynysoedd. Mi gafodd ei lladd yn ystod y shelio, a finnau newydd fod yn siarad efo hi y pnawn hwnnw. Mi allai mor hawdd fod wedi digwydd i mi, ac mi wnaeth hynny imi feddwl mor fregus oedd ein sefyllfa ni i gyd.

Mi ddysgais i lawer iawn yn y cyfnod hwnnw. Roedd yn help i gadarnhau fy mlaenoriaethau mewn bywyd, a beth oedd yn bwysig. Dwi ddim yn teimlo wir fy mod i mewn sefyllfa i ddweud a oedd y rhyfel o unrhyw werth, achos mae'n amhosib pwyso a mesur beth yn union oedd yn y fantol ar y ddwy ochr. Ond yn sicr roeddwn i'n teimlo bod y pris gafodd ei dalu mewn dioddefaint a marwolaeth ac anafiadau i'r milwyr yn bris uchel iawn am ein rhyddid ni, ac yn amlwg mi fuasai'n well gen i petai'r holl beth heb ddigwydd. Ac mi adawodd hyn fi efo baich i'w gario ynglŷn â beth i'w wneud efo gweddill fy mywyd, am fod fy rhyddid wedi costio cymaint. Mae 'na bwynt yn dod pan mae'n rhaid ichi gario mlaen efo'ch bywyd a gwneud eich gorau. Ond dwi'n siwr y bydd rhai o'r gwersi yn aros efo fi weddill fy oes.

Doedd cyfnod y rhyfel ddim yn ddrwg i gyd i Bronwen. Dyna pryd y cyfarfu ei gŵr, Andrew Douse, oedd yn gweithio ar yr ynysoedd fel ecolegydd.

Fo oedd y 'Swyddog Gwyddau' ar yr ynysoedd! Roedd o'n astudio'r gwyddau gwyllt oedd yno, adar oedd yn dipyn o boen i'r ffermwyr. Unwaith oedden nhw'n plannu had gwair newydd ar gyfer y defaid mi fyddai'r gwyddau yma'n cyrraedd ac yn dechrau gwledda, ac roedd Andrew'n chwilio am ffyrdd i drin y broblem.

Roedd y tŷ lle'r oedd o'n byw wedi cael ei daro yn ystod yr ymladd a doedd ganddo fo ddim trydan na dŵr. Roedd o hefyd wedi gwirfoddoli i weithio yn yr ysbyty; roedden nhw'n chwilio am ddynion ifanc oedd heb ymrwymiadau teulu i ddod yno i helpu. Doedd ganddo fo ddim lle i fyw ac mi ddwedais y bydda fo'n cael lletya efo fi, dim ond iddo fihafio – ac mi wnaeth! Mi ddaethon ni'n ffrindiau agos, ac yn 1983 mi ddaethon ni adre i Gymru i briodi yng Nghegidfa.

Yn Ebrill 2003 fe symudodd Bronwen ac Andrew a'u merch ieuengaf Frances, yn ôl i'r Falklands. Arhosodd y ferch hynaf, Elinor, i orffen ei chwrs ym Mhrifysgol Newcastle. Roedd Andrew wedi cael gwaith ar gytundeb dwy flynedd yn ymchwilio i ffyrdd i warchod bio-amrywiaeth yr ynysoedd, a Bronwen yn mynd yn ôl i weithio yn yr union ysbyty ym Mhort Stanley lle cawsai brofiadau mor anturus yn 1982.

Wrth fynd yn ôl i Dde'r Iwerydd roedd hi'n gobeithio cael aduniad gyda Milton Rhys, o bosib ym Mhatagonia neu hyd yn oed yn yr eglwys ym Mhort Stanley, heb ryfel yn rhuo yn y cefndir.

4. MILTON RHYS, TRELEW

Mae Milton Rhys a finnau'n eistedd yng ngardd un o westai a thai te Cymraeg y Gaiman, yn trafod pwnc na wn i ddim byd amdano, sef cerdd dant. Trwy'r ffenest daw llais Dafydd Iwan yn canu 'Paentio'r Byd yn Wyrdd', fel y mae'n gwneud o fore gwyn tan nos yn y *Tŷ Gwyn*. Y Gaiman ydi pentref mwyaf Cymraeg y Wladfa, ac mae hynny'n cael ei adlewyrchu yn y *Tŷ Gwyn* lle'r oeddwn i'n aros. Dydi Milton ddim yn siarad ond ychydig o Gymraeg, ond mae'n medru gwneud un gamp i mi, sef canu yn yr iaith.

Gofyn wnaeth o beth ydi'r gwahaniaeth rhwng cerdd dant a chanu penillion, a finnau'n ateb yn hollwybodus nad oes yna, hyd y gwn i, ddim gwahaniaeth heblaw'r enw. Roedd Milton yn gyfarwydd ag un o'r termau ond nid y llall, ac roedd hynny wedi achosi dryswch a barodd i'w ferch golli gwobr mewn eisteddfod am dorri rheolau'r gystadleuaeth. Mae 'na brofiadau rhyfeddol o gyfarwydd yn ogystal â rhai dieithr yn dod i ran ymwelwyr o Gymru ym Mhatagonia.

Ond yma'r oedden ni i drafod cythreuliaid llawer gwaeth na'r cythraul canu. Roedd Milton, a fyddai'n edrych braidd yn ifanc i fynd i ryfel hyd yn oed heddiw, wedi treulio rhyfel y Malvinas yn Nhŷ'r Llywodraeth yn Port Stanley, neu Puerto Argentino fel y bydd Archentwyr yn galw unig dref yr ynysoedd. Roedd Tŷ'r Llywodraeth reit yn nannedd y brwydro, ac un o ddyletswyddau Milton oedd golchi sanau pennaeth byddin Ariannin, y Cadfridog Mario Menendez. Yn sgîl Milton, heb unrhyw fai arno fo, y tyfodd llawer o'r myth bod y fyddin honno'n llawn o filwyr oedd yn siarad Cymraeg.

Mae ei wreiddiau Cymreig yn mynd yn ôl bedair cenhedlaeth, i ddyddiau cynnar y Wladfa. Ei hen daid oedd y Parchedig William Casnodyn Rhys, bardd a gweindidog o ardal Port Talbot, a sylfaenydd capel Bedyddwyr Cymraeg cyntaf Patagonia. Diwedd yr adeilad hwnnw, yn eironig o gofio'i enwad, oedd cael ei chwalu gan ddŵr. Mae cadair a enillodd 'Casnodyn' yn Eisteddfod y Wladfa yn 1881 i'w gweld yn Amgueddfa'r Gaiman, ac mae hanes ei gadeirio yn rhan o chwedloniaeth y teulu. Fo'i hun oedd meistr y seremoni, ac ar ôl galw'n ofer ddwywaith ar i'r bardd gyda'r ffug enw 'Meidrol' godi ar ei draed, cymerodd arno golli'i limpyn, cyn eistedd yn y gadair ei hun.

Bu'n rheolwr cymdeithas gydweithredol Camwy ac yn ysgrifennydd Cyngor Tref y Gaiman, cyn dychwelyd i Gymru gyda'i deulu ar ôl ymddeol. Ond daeth un o'i feibion, David Ifor Rhys, yn ôl i'r Wladfa gyda'i wraig gan ffermio yn ardal Treorci. Fe sefydlodd un o'u meibion nhw, Leslie, goleg i hyfforddi athrawon trwy'r Saesneg yn Nhrelew. Mab iddo yntau yw Milton Rhys.

Treuliodd Milton bum mlynedd o'i blentyndod yn yr Unol Daleithiau, gan ddysgu Saesneg yn rhugl. Ei chwaer ac yntau sy'n rhedeg y coleg a sefydlwyd gan eu tad, coleg sydd bellach yn brifysgol. Ei ddiddordeb pennaf yw cerddoriaeth ac mae'n arwain nifer o gorau. Mae'n byw yn Nhrelew gyda'i wraig Alexandra a'u plant Astrid, Gretel a Dennis, y tri'n ddisgyblion yn Ysgol Dewi Sant yn Nhrelew ac yn dysgu Cymraeg.

Ar ddechrau'r wythdegau roedd Milton wedi bod yn y brifysgol am flwyddyn cyn gorfod gadael i wneud ei wasanaeth milwrol. Wedi hynny fe chwalwyd ei fywyd gan ryfel y Malvinas. Mae'n dweud ei bod wedi cymryd ugain mlynedd cyn iddo allu siarad yn agored am ei brofiadau.

Roedd yn rhaid i bob bachgen oedd yn cyrraedd deunaw oed yn Ariannin wneud ei hyfforddiant milwrol yr adeg honno, am gyfnod o rhwng blwyddyn a thair blynedd. Blwyddyn oedd o i fod i bara yn fy achos i ac ro'n i'n cael gwneud y gwasanaeth yn Nhrelew lle'r oedden ni'n byw. Fe ges fy hyfforddi mewn gwaith radio, dysgu sut oedd y militari yn eu defnyddio nhw, sut i ddefnyddio côd ac yn y blaen. Ro'n i'n cael fy mhenblwydd yn ugain oed yn Ionawr 1982 ac yn edrych ymlaen am gael fy rhyddhau y mis wedyn. Ond pan ddaeth mis Mawrth ro'n i'n dal yno. Roedd 'na dri ohonon ni efo'n gilydd yn yr uned, roedden ni'n deall ein gwaith a chawson ni erioed unrhyw broblem efo'n penaethiaid.

Ond mi newidiodd hynny yn fy achos i, wythnos cyn diwedd y gwasanaeth milwrol. Mi aeth hi'n ffrwgwd rhyngdda i a'r Cyrnol oedd yn gyfrifol am y militari yn yr ardal. Roedd o'n feddw y noson honno ac mi aeth pethau'n ddrwg. Felly mi orffennais fy ngwasanaeth mewn dwnjwn mewn carchar milwrol. Mi ges ddod allan gyda'r nos, Ebrill yr ail gan feddwl 'Wel diolch byth, dyma fi'n rhydd.' Yn y carchar doeddwn i'n cael gwybod dim am yr hyn oedd yn digwydd y tu allan. Ond pan gyrhaeddais i adre dyma fy nhad yn dweud 'Mae'n dda dy fod ti allan o'r gwasanaeth milwrol – mae Ariannin wedi ailfeddiannu'r Malvinas! Diolch dy fod ti adre.'

Ond y diwrnod wedyn, am naw o'r gloch y bore, pwy alwodd yn y tŷ ond y Cyrnol oedd newydd fy rhoi i yn y carchar. 'Rwyt ti'n mynd i'r Malvinas,' medda fo. 'I wneud beth?' meddwn i. 'Rwyt ti'n deall radio ac yn siarad Saesneg. Mi gei fynd yno fel cyfieithydd.'

I ffwrdd â fi felly y diwrnod hwnnw, ar fy mhen fy hun ac yn fy nillad fy hun, i Comodoro Rivadavia lle'r oedd popeth yn cael ei drefnu. Erbyn Ebrill y pumed ro'n i ar awyren Hercules ar fy ffordd i'r ynysoedd. Pan gyrhaeddais i Puerto Argentino ro'n i'n dal yn fy nillad fy hun. Mi holais lle'r oedd Tŷ'r Llywodraeth a phwy oedd yn gyfrifol am y milwyr. Ar ôl dau ddiwrnod mi gyflwynais fy hun i'r pennaeth, General Daher. Fo oedd yn gyfrifol am y milwyr yn Puerto Argentino ar y dechrau. Doeddwn i erioed wedi cyfarfod General o'r blaen. Ro'n i'n dal yn fy nillad fy hun ond yn cario fy nillad milwr mewn bag – roedden nhw wedi dweud y byddai'n rhaid imi wisgo'r rheini. 'Mi gei di aros yn f'ymyl i,' medda Daher, 'a chan dy fod ti'n Gymro mi gei wneud paned o de imi.' Mi wnes baned, ac mi dywalltodd ddiferyn o wisgi iddo cyn ei yfed. Roedd o'n feddw hanner yr amser, yn debyg iawn i Galtieri yn hynny o beth.

Wnes i ddim byd am ddiwrnod neu ddau, ond yna mi ddeudodd Daher bod eisiau imi gyfieithu rhyw negeseuon Saesneg oedden nhw wedi eu recordio. Wedyn mi symudodd yr awdurdodau Daher i rywle arall ac mi ddaeth Menendez aton ni yn ei le. Mi gyflwynodd Daher fi iddo. 'Mae'r bachgen yma o dras Gymraeg a Saesneg a mi all fod yn help ichi yn hyn i gyd,' medda fo.

Ro'n i wedi bod yn cysgu'r nos, fel y milwyr eraill, mewn twll oedden ni wedi'i gloddio yn y ddaear, a hwnnw'n llenwi bob munud efo dŵr. Ond mi adawodd Menendez imi gysgu yn Nhŷ'r Llywodraethwr, y tŷ oedd wedi bod yn gartre i Rex Hunt a'i deulu. Cysgu ar lawr mae'n wir, ond o leia ro'n i'n sych.

Roedd Menendez yn ddyn tipyn mwy gwaraidd na Daher. Fedra i ddim deud ein bod ni'n ffrindiau, ond mi ddois i'w nabod o yn weddol. Ro'n i'n mynd â coffi iddo fo yn y bore a hyd yn oed yn golchi'i sanau. Mi ofynnodd imi unwaith wneud mate iddo fo [y ddiod ddail sy'n boblogaidd yn Ariannin]. Doeddwn i ddim yn yfed mate fy hun yr adeg honno, ac mi wnes y camgymeriad o ferwi'r dŵr yn gynta, sy'n difetha'r ddiod. Pan rois i'r mate i Menendez mi 'poerodd o allan. 'Rhys, rwyt ti'n Gymro?' 'Si, mon General.' 'Gwna baned o de imi!'

Roedd o'n ŵr bonheddig ac yn ddeallus. Roedd ganddo gonsýrn am ei filwyr ac am rai oedd wedi eu clwyfo ar y ddwy ochr. Mae 'na rai'n dweud pethau digon cas am ei ran o yn y 'rhyfel budr' rai blynyddoedd ynghynt – dwi ddim yn meddwl bod neb wedi ymchwilio'n iawn i'r digwyddiadau hynny. Y cyfan alla i ddwed ydi na faswn i ddim yn fyw heddiw oni bai amdano fo.

Fy mhrif waith i oedd cyfieithu a theipio i Menendez. Roedd angen cyfieithu yn aml pan oedd yna bethau i'w trafod efo pobol yr ynysoedd. Wedyn pan ddechreuodd yr ymladd roedden nhw bob amser yn mynd ag un cyfieithydd Saesneg efo nhw i flaen y gad. Y syniad oedd y bydden ni angen y rheini ar ôl inni gymryd milwyr Prydeinig yn garcharorion. Roedd ein hysbryd ni mor uchel yr adeg honno, doedd neb hyd yn oed yn meddwl am golli'r rhyfel. Mi wnes i gyfieithu ddwywaith neu dair yn y sefyllfa honno, ond roedd y rhan fwya o'r gwaith i'w wneud efo problemau o ddydd i ddydd, fel cael petrol i'r cerbydau neu fawn ar gyfer y stôfs, neu siarad efo plymar pan oedd problem efo'r dŵr.

Ro'n i'n dal i weithio efo'r trosglwyddiadau radio, ac mi fum yn teipio papur newydd un dudalen ar gyfer ein milwyr ni. Dro arall ro'n i'n plicio tatws a helpu yn y gegin, ac yn gorfod bod ar gârd yn y nos dair neu bedair gwaith bob wythnos. Ychydig iawn o gwsg oedd rhywun yn ei gael ac roedd lluoedd Prydain yn rheoli'r frwydr seicolegol yn dda iawn. Mi fydden nhw'n ein bomio ni am ddeg munud nes bod pawb yn effro, gadael llonydd inni am ddwyawr i roi cyfle inni fynd yn ôl i gysgu, a dechrau bomio eto. Erbyn y diwedd doedd neb ar yr ynysoedd yn cysgu o gwbl, na milwyr y ddwy ochr na'r ynyswyr. Mae'n rhaid ei fod o'n beth ofnadwy i bobol yr ynys, mor bell oddi wrth eu gwreiddiau ac yn byw bywyd mor dawel a syml, ac yn sydyn y rhyfel dychrynllyd yma reit ar garreg eu drws.

Fyddai neb yn credu cyn lleied oeddan ni wedi cael ein paratoi fel milwyr ar gyfer y rhyfel. Dwi ddim yn sôn am y milwyr proffesiynol, ond am y mwyafrif ohonon ni oedd yno o dan orfodaeth. Ro'n i wedi dysgu mwy yn fy nghyfnod fel *boy scout* nag yn yr holl hyfforddiant milwrol. Doeddwn i erioed wedi cydio mewn gwn, heblaw wrth hela sgwarnogod a chwningod ar y ffarm yn y Gaiman. Yn sicr doeddwn i erioed wedi pwyntio gwn at berson dynol. Felly pan roeson nhw wn i mi ar yr ynys doedd gen i ddim syniad beth i'w wneud efo fo. 'Rwyt ti wedi cael dy hyfforddi,' medden nhw. 'Ddim ond fy hyfforddi i ddefnyddio radio,' meddwn innau. Fell dyma nhw'n mynd â fi i le ar gyrion y dre ac yn dangos sut i agor y gwn, a sut i'w lanhau a'i lwytho a'i danio fo.

Roedd hi'n well arna i nag ar lawer oedd yno. Roedd rhai o'r bechgyn ifanc wedi cael eu magu ar y paith, erioed wedi gweld y môr na theithio ar gwch nac awyren, heb fawr o addysg a rhai ddim hyd yn oed yn gallu sgwennu eu henwau. Ac yn sydyn dyma nhw mewn rhyfel. Yn erbyn pwy? Prydeinwyr? Ewropeaid? Ymladd am beth? Y Malvinas? Lle mae fan'no? Doedden nhw erioed wedi clywed am y lle o'r blaen, a dyma nhw, am fwy na 70 diwrnod, yn cysgu efo'u pennau yn y mwd. A hyn i gyd am fod Galtieri a'i ddynion eisio dal gafael ar eu pŵer am ychydig mwy o amser.

Ro'n i'n dod ymlaen yn dda iawn efo pobol yr ynys. Mi ddois yn ffrindia efo dyn oedden ni'n ei alw'n Mr Don. Fo oedd *chauffeur* y Llywodraethwr Rex Hunt ac roedd o'n ddyn hael a hynod ddeallus yn ei ffordd araf ei hun. Dwi'n meddwl ei fod o'n perthyn i bumed genhedlaeth ei deulu ar yr ynys, ac roedd ganddo blant ac wyrion. Dyna saith cenhedlaeth i gyd. Pedwaredd genhedlaeth ydw i yn Ariannin. Oeddwn, roeddwn i'n dod ymlaen yn dda efo'r ynyswyr, ond ddim cystal ar y cyfan efo'r bobol o Brydain oedd ddim ond yno'n gweithio am flwyddyn neu ddwy.

Yn y *Daily Post*, Lerpwl ar Hydref 24, 1989 fe ymddangosodd y pennawd 'When the Argies spoke Welsh'. Yn yr erthygl sy'n dilyn, mae'r newyddiadurwr Ivor Wynne Jones yn disgrifio'i sgwrs gyda Don Bonner, chauffeur y Llywodraethwr Rex Hunt – 'Mr Don'. Roedd Don Bonner wedi dysgu canu 'Hen Wlad fy Nhadau' gan brifathro Cymraeg, yn blentyn ysgol yn Port Stanley, meddai. Adeg yr ail ryfel byd roedd hefyd wedi treulio rhywfaint o'i hyfforddiant milwrol ar *HMS Glendower*, a ddaeth wedyn yn wersyll Butlin ym Mhwllheli.

'I know when I am hearing Welsh and was very surprised to hear it at Government House,' meddai wrth y gohebydd. Yr unig 'siaradwr Cymraeg' y mae'n ei enwi yw 'junior NCO called Milton-Rees'(sic). Ond mae'n honni bod yna 'several Welsh-speaking guards' ymysg yr Archentwyr yn Nhŷ'r Llywodraeth. Roedd o hefyd wedi clywed nifer o Archentwyr ifanc yn siarad Cymraeg ar ôl dod i'r lan oddi ar long ysbyty.

Mae ganddo air da i'w ddweud am Milton. 'Milton-Rees was a likeable young man and we used to have long discussions about the Argentinian claims to the Falkland Islands,' meddai. Geiriau olaf Milton wrtho cyn cael ei gario ar long yn ôl i'r Ariannin fel carcharor oedd: 'I'm Argentinian and I always will be.'

O siarad â Milton heddiw, mae'n ymddangos nad oedd clust Mr Don yn ddigon main i wahaniaethu rhwng y Sbaeneg a'r Gymraeg, iaith ei hen brifathro a phobl Pwllheli. Trwy'r rhyfel ddaeth Milton ddim ar draws unrhyw filwyr, ar y naill ochr na'r llall, oedd yn siarad Cymraeg. Ei unig gysylltiad â Chymru oedd cyfarfod Bronwen yn yr eglwys. Roedd wedi ei chyfarfod yno fwy nag unwaith ond mae'n methu cofio p'run oedd y tro cyntaf. Ond mae'n ddiddorol cymharu atgofion y ddau wedi mwy nag ugain mlynedd.

Mi es i mewn i'r eglwys Anglicanaidd yn Puerto Argentino i addoli ac wrth gwrs roedden nhw wedi dychryn yn arw pan welson nhw filwr yn cerdded i mewn yn ei lifrai. Ro'n i'n edrych fel Rambo, yn cario'r arfau i gyd. Felly mi adewais fy arfau ar fainc yn y rhes gefn er mwyn peidio'u gwneud nhw'n nerfus.

Roedd y gwasanaeth yn Saesneg wrth gwrs, a doedden nhw ddim yn gwybod os oeddwn i'n siarad yr iaith ai peidio. Dwi'n cofio cerdded i lawr yr eil i chwilio am rywle i eistedd, a'r ferch ifanc yma a gwraig oedrannus oedd wrth ei hochor yn symud draw i wneud lle i mi. Gwraig yr offeiriad oedd un a Bronwen oedd y llall, ac mi rannon ni'r llyfr emynau. Gan 'mod i'n darllen cerddoriaeth ro'n i'n canu'r tenor o fewn eiliadau. Roedd Bronwen yn canu alto a gwraig yr offeiriad yn canu'r alaw, a phobol yn dechrau edrych ar ôl sylwi bod ganddyn nhw lais newydd. Fum i erioed mor ymwybodol o ba mor bwysig ydi cerddoriaeth mewn gwasanaethau crefyddol, ac yn fy mywyd innau. Dwi ddim yn cofio os mai'r tro hwnnw oedd hi, ond mi fuo Bronwen a finnau'n siarad, a chan ei bod hi'n Bronwen Williams a finnau'n Rhys fuon ni ddim yn hir yn darganfod ein bod ni'n dau o dras Gymraeg. Mi wnaeth cyfarfod Bronwen i mi sylweddoli mor hurt oedd y sefyllfa oedden ni ynddi yn y rhyfel.

Roeddwn i'n gorfod mynd i'r ysbyty bob hyn a hyn i gyfieithu a helpu i ddatrys problemau fyddai'n codi, ac mi fyddai rhai o'r ysbyty'n dod i'n gweld ni yn Nhŷ'r Llywodraethwr i drafod pethau fel defnyddio'r cae pêl-droed oedd y tu ôl i'r tŷ ac yn ymyl yr ysbyty.

Mi gododd yna un broblem anffodus iawn, pan saethon ni un o fuchod gorau'r ysbyty mewn camgymeriad. Mi fyddai'r gwartheg yn dod i bori ar y cae pêl-droed. Un noson dywyll iawn mi glywson ni sŵn yn agos at y tŷ ganol nos. Roedd dau neu dri o bethau rhyfedd wedi digwydd yn y dyddiau cyn hynny. Er enghraifft, roedd y cogydd wedi gofyn i mi fynd allan i nôl llysiau o'r ardd a phan agorais i'r drws beth welwn i ond grenâd. Doedd hi ddim yn un Archentaidd felly roedd rhaid ei bod hi'n un Brydeinig, ac mi redais i'r tŷ i ddweud wrth y plismyn militaraidd. Roedden ni'n eitha sicr bod *commandos* Prydeinig wedi amgylchynu'r tŷ ac er na allen ni brofi'r peth roedd pawb yn nerfus ac ar bigau'r drain trwy'r amser. Felly pan glywson ni sŵn y noson honno mi waeddodd rhywun 'Stop' yn Sbaeneg gan ddisgwyl clywed y gair cyfrin, oedd yn cael ei newid bob diwrnod. Ond doedd dim ateb, felly mi daniodd un o'r plismyn militaraidd i gyfeiriad y sŵn. Roedd yn rhaid inni aros tan y bore i weld beth oedd wedi digwydd, a dyna pryd y sylweddolon ni ein bod ni wedi saethu'r fuwch. Dwi'n cofio General Menendez yn cael dadl chwyrn iawn efo un o'r dynion o'r ysbyty – honno oedd eu buwch odro orau nhw!

Cwyn gyson gan bobl Ariannin ers y rhyfel yw bod y gwirionedd wedi ei guddio rhagddyn nhw yn ystod yr ymladd. Yn ôl Milton roedd hyd yn oed eu harweinwyr milwrol eu hunain yn cael eu cadw yn y tywyllwch.

Gan fy mod i mor agos at General Menendez mi fuasech chi'n meddwl 'mod i'n gwybod yn 'o lew beth oedd yn digwydd o'n cwmpas ni. Mae 'na un stori'n arbennig sy'n dangos nad oedd hynny'n wir. Yn hwyr un noson pan oeddwn i ar wyliadwriaeth mi ddaeth dyn i Dŷ'r Llywodraeth, curo'n galed ar y drws a gofyn i mi lle'r oedd General Menendez. Mi holais pwy oedd o a beth oedd ei neges, a dweud wrtho bod y General yn cysgu. Roedd o'n swyddog uchel yn Awyrlu Ariannin ac mi fynnodd fy mod i'n deffro Menendez achos bod ganddo neges bwysig iawn. Mi wnes i hynny a dyna lle'r oedd y dyn yma'n dweud wrth Menendez ein bod ni wedi suddo llong y *Canberra*. Roedd o'n disgrifio sut oedd ein hawyrlu ni wedi tanio exocet o hyn a hyn o bellter, ac yn y blaen.

Ar ôl i'r rhyfel ddod i ben, mi ddwedodd milwyr Prydeinig wrthon ni ein bod ni'n mynd i gael ein cario ar long yn ôl adre i'r cyfandir. Enw'r llong, medda fo, oedd y *Canberra*. Ro'n i'n chwerthin i mi fy hun ac yn meddwl, 'Druan ohono, does neb wedi deud wrtho bod y *Canberra* wedi cael ei suddo.' Pan aethon nhw â ni allan at y llong, yr un fwya i mi fod arni erioed, mi welais yr enw *Canberra* yn glir ar ei hochr, ac ro'n i'n dal i feddwl eu bod nhw wedi gosod yr enw hwnnw ar long arall er mwyn camarwain pobol. Ond ar ôl mynd ar y llong a gweld yr enw ym mhobman mi sylweddolais mai ni oedd wedi cael ein camarwain. Roedd hyd yn oed Menendez, pennaeth ein byddin ni, wedi cael ei dwyllo i feddwl bod y *Canberra* wedi ei suddo.

Roedd pethau fel hyn yn digwydd bron yn ddyddiol trwy'r rhyfel. Dwi'n meddwl mai ar Radio Montevideo o Uruguay y clywais i bod y *Belgrano* wedi cael ei suddo. Mi fyddai Menendez yn gofyn i ni wrando ar orsafoedd radio o wahanol wledydd er mwyn cael gwybod beth oedd yn digwydd go iawn. Mae'n swnio'n anhygoel ond mae'n wir – roedd y penaethiaid hyd yn oed yn cuddio gwybodaeth rhag Menendez! Felly pan fydden ni'n clywed ar un o'r gorsafoedd yma bod y peth a'r peth wedi digwydd roedden ni'n meddwl, 'All hyn ddim bod yn wir.' Ond fel arfer roedd o yn wir, ni oedd yn cael gwybodaeth anghywir. Dim ond dynion meddw – Galtieri'n enwedig, ond nid fo oedd yr unig un – fyddai'n meddwl am gadw gwybodaeth rhag eu prif bobol filitaraidd eu hunain yn ystod rhyfel.

Yn y dyddiau olaf cyn y cadoediad roedden ni'n gweld y milwyr Prydeinig yn nesu at y dre, a'r bomio o'r awyr yn mynd yn drymach. Mi fu'n rhaid i minnau fynd i gyfeiriad y ffrynt lein yr wythnos honno, ond doedd dim modd mynd yn bell oherwydd y bomio. Roedden ni'n gorfod troi'n ôl, ac yn gweld ein milwyr ni yn cerdded yn eu holau, llawer ohonyn nhw wedi eu clwyfo, y dewrder a'r gobaith wedi llifo allan ohonyn nhw. Roedden nhw fel tasen nhw mewn breuddwyd, yn dilyn llinell am fod honno'n digwydd mynd i ryw gyfeiriad, yn cerdded am fod yn rhaid iddyn nhw gerdded, wedi'r holl ddyddiau o newyn ac oerfel a diffyg cwsg, y bomiau a'r shells yn ffrwydro o'u cwmpas nhw a'r sŵn yn ddychrynllyd.

Yn y diwedd mi ddisgynnodd tri bom mortar wrth Dŷ'r Llywodraethwr, dau yn y ffrynt ac un yn y cefn. Pan ddaeth y cyntaf mi gawson ni orchymyn, 'Pawb i'w le,' a mi es innau at fy radio. Pan ddisgynnodd yr ail roedd Menendez a'i dîm yn siarad efo Galtieri ar y ffôn radio. Mi all deng mil ohonon ni ddiolch i Menendez, a'r sgwrs honno, ein bod ni'n fyw heddiw. 'Mae hyn yn amhosib, General,' meddai Menendez. 'Does ganddon ni ddim gynnau mawr, dim strategaeth, dim awyrlu i'n cefnogi ni, dim byd i'w daflu atyn nhw ond cerrig. Nid rhyfel ydi hyn ond lladdfa.' A Galtieri'n ateb, â'i lais yn swnio'n hollol feddw, 'Ewch allan o'ch tyllau i ymladd, y cachgwn!' 'Os gwnawn ni hynny,' meddai Menendez, 'mi fyddwn i gyd yn gelain. Nid llwfrdra ydi hyn, does ganddon ni ddim un ffordd i ymladd ac rydw i'n mynd i ildio.' 'Na wnewch chi ddim...' A'r foment honno dyma fom arall yn glanio yn yr iard gefn ac yn chwalu'r ystafell radio yn yfflon. Roedd rhan o'r wal wedi'i gwneud o gerrig, a'r gweddill yn bren. Mi aeth y darn pren yn chwilfriw a dyna lle'r oedden ni, Menendez a phawb, yn swatio yng nghysgod y wal gerrig. Y wal honno achubodd ein bywydau ni. Wedyn mi glywais y geiriau 'Ewch allan o'r tŷ.' Mi redais allan i gyfeiriad y twll yn y ddaear lle'r oeddwn i wedi bod yn byw ar ddechrau'r rhyfel, ac roeddwn i bron â'i gyrraedd pan ddisgynnodd y trydydd bom o flaen y tŷ ac yn agos at lle'r oeddwn i'n rhedeg. Roedden ni'n mynd mewn llinell, dau neu dri o ddynion o fy mlaen i a phedwar neu bump y tu ôl. Roedd o leiaf ddau o'r rhai tu ôl i mi wedi eu lladd yn y ffrwydrad ac mi deimlais innau ddarn o fetel yn fy nghefn. Yr hyn arbedodd fi oedd bod y metel wedi mynd trwy'r strap lledr trwchus oedd yn dal y gwn trwm oeddwn i'n ei gario. Mi dorrodd y strap ac mi daflwyd y gwn – a finnau – i'r llawr. Roedd darn o'r metel yn fy nghefn ond mi ddeudodd y milwyr eraill nad oedd yr anaf ddim yn ddifrifol ac am imi ddal i redeg.

A rhedeg wnes i, tua chanol Puerto Argentino, gan feddwl

na fydden nhw ddim yn bomio fan honno oherwydd bod cymaint o drigolion yr ynys o gwmpas. Mae'n bosib nad oedd hynny'n wir achos mi glywais i wedyn bod ganddyn nhw gynlluniau i fomio canol y dre hefyd os oedd raid. Fe es i gyda glan y môr yn hytrach na thrwy'r tir agored, yn y gobaith y byddai unrhyw fom yn gwneud llai o ddifrod petai'n glanio ar y tywod neu yn y môr. Fe ddaliais i redeg nes cyrraedd canol y dre yn ddiogel.

Roedd Menendez a'i dîm wedi cyrraedd yno'n barod, ac wedi cysylltu gyda lluoedd Prydain trwy ryw sianel oedd wedi cael ei sefydlu gan eu pennaeth nhw, General Jeremy Moore. Cyn bo hir – dwi ddim yn cofio oedd hi'n funudau neu'n oriau – mi dawelodd y bomio ac mi ddaeth heddwch unwaith eto i Puerto Argentino.

Yn fuan wedyn es innau yn ôl i fy hen 'weithle' yn Nhŷ'r Llywodraethwr i weld a oedd rhywfaint o fy mhethau ar ôl yno. Roedd hi'n sioc i weld bod pump neu chwech o filwyr Prydeinig wedi cyrraedd o fy mlaen ac yn mynd trwy'r lle yn chwilio am ddogfennau, mapiau ac ati. Roedden nhw a finnau'n arfog – doedd y gwn mawr ddim gen i ond roedd gen i rifolfar, ac mae arna i ofn mai fy ymateb greddfol oedd dechrau tynnu hwnnw allan. A dyma nhw'n edrych arna i gan ddweud 'Beth sy'n bod arnat ti? Wyt ti'n dwp?' Welais i neb yn pwyntio gwn ata i ond pe bawn i wedi tanio mae'n amlwg y byddwn i'n ddyn marw. 'Esgusodwch fi!' medda fi yn llywaeth, a rhoi'r gwn o'r neilltu. A dyma nhw'n cario mlaen efo'u gwaith.

Es innau i chwilio am fy mhethau a gweld bod yr offer radio yn chwilfriw mân wedi'r bomio. Ryw ddwyawr yn ddiweddarach doedd neb o fy swyddfa i wedi cyrraedd ac mi gerddais unwaith eto i ganol y dre, lle'r oedd y milwyr Archentaidd yn dod at ei gilydd.

Roedden nhw'n ein trin ni'n dda. Fe ddwedodd Mr Don, y *chauffeur*, wrtha i, 'Inside every British officer you will find a British gentleman'. Yn fy mhrofiad i roedd hynny'n wir ar y cyfan. Yr eithriad oedd un bachgen ifanc, roedd o'n iau na fi ac mae ieuenctid yn gallu dod â phob math o bethau i'r wyneb. Mi fu bron inni fynd i ymladd. Ond ar wahân i hynny mi gawson ni'n trin fel milwyr proffesiynol, ac roedd Don yn llygad ei le.

Ar ôl deuddydd neu dri mi ddwedon nhw wrthon ni ein bod ni'n mynd ar long yn ôl i'r cyfandir. Dyna pryd y cefais i'r sioc o sylweddoli nad oedd y *Canberra* wedi ei suddo. Roedd miloedd ohonon ni wedi'n pacio'n dynn ar y llong. Mi ddechreuon nhw'n bwydo ni ac mi ges fath am y tro cynta mewn tri mis, ond fel pawb arall doedd gen i ddim dillad glân i newid iddyn nhw.

Mi ddwedon nhw wrthon ni bod yn rhaid i'r llong fod yn symud cyn y byddai'r system dŵr ffres yn gweithio'n iawn, ac felly mi ddechreuon ni hwylio. Roedd gan bob un ohonon ni gwmpawd yn ei wats, ac mi weithion ni allan trwy wylio'r rheini ein bod ni'n hwylio o amgylch y Malvinas, ddwywaith o bosib. Wedyn mi ddechreuon ni hwylio tua'r Gogledd. Doedd gan y milwyr oedd yn ein gwarchod ni ddim syniad mwy na ninnau i ble'r oedden ni'n mynd. Roedden nhw'n meddwl ein bod ni ar ein ffordd i Uruguay neu Brazil.

Roeddwn i'n un o ryw ddau neu dri chant oedd yn eistedd ar lawr yr hyn oedd wedi bod yn ystafell ddawnsio neu rywbeth tebyg – roedd 'na biano'n dal yno. Doedd dim digon o le inni orwedd i lawr. Dau ohonon ni oedd yn siarad Saesneg, bachgen o La Plata yn nhalaith Buenos Aires a finnau. Felly ni oedd yn cyfeithu pan fyddai rhywun angen rhywbeth, ac roedd hynny'n digwydd yn aml, gyda llawer o'n milwyr wedi eu hanafu.

Dwi'n credu inni fod yn hwylio am ryw dri diwrnod. Wedyn un bore dyma'r swyddog oedd yn gyfrifol amdanon ni yn cydio yn fy ysgwydd ac yn dweud 'Tyrd allan!' Gorchymyn oedd hyn, ac roeddwn i'n meddwl 'Be dwi wedi'i wneud? Pa helynt ydw i ynddo fo rwan?' Ar ôl mynd allan roedden ni'n gweld tir ar y gorwel. Cyn hynny doedden ni'n gweld dim byd gan fod y ffenestri wedi eu gorchuddio. 'Lle ydi fan'na?' medda'r milwr Prydeinig. 'Patagonia ynteu Uruguay?' 'Patagonia,' meddwn innau. Doedd o ddim yn Buenos Aires nac yn Uruguay. Doeddwn i ddim yn gyfarwydd â Brazil, ond Patagonia yn sicr oedd hwn, roeddwn i'n adnabod y clogwyni. Ond doeddwn i ddim yn siwr eto pa ran o Batagonia – Rio Gallegos o bosib, neu Borth Madryn.

Mi fuon ni'n sgwrsio fel hyn am ryw ddwyawr a'r hyn oedd yn rhyfedd, a ninnau ar ein ffordd o ryfel, oedd bod gan y swyddog yma ddiddordeb mawr ym Mhatagonia. Sut le oedd Rio Gallegos? Sut fywyd oedd 'na ym Mhorth Madryn?

Tra'r oedden ni'n siarad fel hyn roedd y tirlun yn dod yn gliriach ac mi ddwedais i, 'Porth Madryn yn sicr ydi hwn. Rydw i'n gallu gweld y gwlff. Mae hwn yn rhan o Peninsula Valdes, a Punta Nintas draw acw. Yn sicr rydan ni'n hwylio i Borth Madryn.' Allech chi ddim camgymryd y tirlun am unman arall. Un funud roeddech chi'n gweld tir, wedyn doedd o ddim yno. Roedden ni'n gweld union yr un olygfa ag a welodd y Cymry cynta yr holl flynyddoedd yn ôl, o dan amgylchiadau mor wahanol. Ac mi lanion ninnau ym Mhorth Madryn, ryw dair milltir o'r llecyn ble glaniodd y *Mimosa* yn 1865.

Ugain mlynedd wedi'r rhyfel bu Milton yn sôn am ei brofiadau ar raglen deledu Tweli Griffiths i *S4C*. Y pryd hwnnw y clywodd am y tro cyntaf recordiad o *Plethyn* yn canu geiriau Myrddin ap Dafydd, 'Yn dewach na dŵr', cân wedi ei symbylu gan y cyfarfyddiad rhwng Bronwen ac yntau yn yr eglwys. Mae wedi pendroni llawer am y sefyllfa y cafodd ei hun ynddi, yn ymladd yn erbyn gwlad ei hynafiaid..

Roedd yn beth mor drist, bod fy hen daid wedi dod i

Batagonia o Gymru i chwilio am heddwch i fagu'i blant, ac i gadw'r grefydd a'r iaith a'r traddodiadau; a ninnau wedyn yn ymladd, fel mae'r y gân yn dweud, gwaed yn erbyn gwaed.

Ar ôl y rhyfel mi ganolbwyntiais ar gerddoriaeth, oedd yn therapi ac yn help i anghofio. Ond mae rhai pethau na all rhywun mo'u hanghofio. Roeddwn i'n gwrando ar y milwyr o Gymru ar y rhaglen deledu ugain mlynedd wedyn, yn sôn amdanyn nhw'n cloddio ffosydd yn y mawn a'r tir gwlyb yng nghanol yr oerfel. Dyna'r union brofiad gawson ninnau. Hyd yn oed heddiw alla i ddim rhoi fy nhroed ar fwd heb i'r atgofion gwael ddod yn ôl.

Ers yr ymladd mae mwy na thri chant o'n milwyr ni wedi marw trwy hunanladdiad, neu drwy or-yfed o ganlyniad i'r rhyfel. Roedd y rhyfel yn brofiad gwahanol i bob un ohonon ni, roedd yr effaith yn dibynnu ar gefndir a chyflwr rhywun wrth fynd yno yn y lle cynta. Mi ddylen ni fod wedi cael mwy o help seicolegol. Hyd y gwn i does yna ddim un ganolfan yn Ariannin sy'n arbenigo mewn trin clwyfau meddyliol cyn-filwyr. Ond doedd ganddon ni ddim profiad o ryfel cyn y Malvinas, dim ond o derfysgaeth, neu'r hyn oedd y Llywodraeth yn ei alw'n derfysgaeth.

Y cwestiwn y bydda i'n dal i'w ofyn am y rhyfel ydi, 'I beth?' Go brin y daw'r ateb byth. Dwi'n credu'n gryf y dylai'r Malvinas fod yn perthyn i Ariannin, am resymau hanesyddol, daearyddol, gwleidyddol ac economaidd. Ond pan fydda i'n meddwl am deulu Mr Don [Bonner], saith cenhedlaeth ohonyn nhw wedi byw ar yr ynysoedd, dwi'n credu eu bod hwythau wedi haeddu cael cadw eu ffordd o fyw. Rhwng y du a'r gwyn mae yna sawl haen o lwyd. Roedden ni'n datblygu'r tir canol hwnnw yn dda cyn y rhyfel, efo llawer o bobol ifanc o'r ynysoedd yn astudio yn Ariannin ac yn hoffi'r lle. Yn yr ugain mlynedd ers y rhyfel rydan ni wedi mynd yn ôl ddwy neu dair cenhedlaeth.

Yr hyn sy'n fy ngwneud i'n drist ydi bod yr hyn

ddigwyddodd i mi yn ugain oed yn dal i ddigwydd heddiw i blant mewn llawer rhan o'r byd, ac nid am dri mis yn unig. Er ein bod ni'n gallu anfon dynion i'r lleuad fedrwn ni ddim siarad efo'n gilydd i ddatrys ein problemau ar y ddaear.

6. MICHAEL JOHN GRIFFITH, SARN MELLTEYRN

Noson braf o Fehefin, ac mae Michael John Griffith yn paratoi am y gaeaf. Mae'n gosod blociau coed tân yn das grefftus wrth ochr ei fyngalo ar gyrion Mynydd Rhiw. Does dim awel i gynhyrfu'r ddraig goch ar bolyn rhwng y tŷ ac Allt Coch Moel, ac mae'r olygfa dros ehangder Pen Llŷn yn dangnefeddus. Yn ei chanol mae Garn Fadryn, lwmpyn caregog yn codi o'r caeau gwyrdd. Am hwnnw yr hiraethai Cynan yng nghanol cyflafan y rhyfel byd cyntaf – 'O na ddeuai chwa i'm suo/ O Garn Fadryn ddistaw bell'. A dyma'r mynydd a roddodd ei enw i Borth Madryn, y porthladd ym Mhatagonia yr hwyliodd Milton Rhys a'i gyd-garcharorion adref iddo o'u Macedonia hwythau. Ond rhamantu am gysylltiadau felly oedd y peth olaf ar feddwl Michael John Griffith wrth iddo gymryd rhan ym mrwydr gyntaf rhyfel y Falklands.

'Mi o'n i'n gwybod rhywfaint o hanes y Cymry ym Mhatagonia ond do'n i ddim yn sylweddoli'r adeg honno bod Patagonia'n rhan o Argentina,'meddai dros baned yn y tŷ

> Ond taswn i'n gwybod bod yna hogia Cymraeg ar yr ochor arall, fasa hynny ddim wedi gneud unrhyw wahaniaeth. Deunaw oed o'n i ar y pryd, ond mi fasa pawb sy' wedi bod mewn rhyfel yn deud yr un fath. Waeth ichi heb â bod yno os ydach chi'n mynd i ddechra meddwl 'mae'n siwr bod gin yr hogyn yma frawd neu chwaer yn rwla, neu ella bod

ganddo fo wraig adra sydd newydd gael babi'. Ac yn yr un ffordd, waeth ichi heb â meddwl ella bod ei hen daid o'n dwad o Gymru. Rhyfel oedd o, a dyna fo.

Trydanwr yn gweithio iddo'i hun yw Michael. Mae'n byw efo'i bartner Heather a'u merch fach fywiog, Helena – 'ac fel gwelwch chi, mae 'na un arall ar y ffordd' – yn un o'r llefydd tawelaf yn Llŷn. Dywed nad yw ei brofiad yn rhyfel y Falklands wedi gadael unrhyw greithiau ac na fydd yn sôn yn aml am y peth, er ei fod yn ddigon parod i wneud os bydd rhywun yn holi. Ond mae ei ffrindiau yn Llŷn yn cofio gystal ag yntau am y noson pan ddaeth yr alwad i ryfel, ac yntau adref o'r Llynges ar ei wyliau Pasg yn 1982.

Mi oedd 'na griw ohonon ni yn nhafarn y *Lion* yn Nhudweiliog, yn cael peint bach a siarad am genod, pan ddaeth y ddau blisman 'ma i mewn. Dyma nhw'n pwyntio ata i a gofyn os mai fi oedd Michael John Griffith. 'Ia' medda finna, ac mi aeth y lle'n hollol ddistaw. 'Ydach chi yn y *Marines*?' 'Ydw'. 'Dowch efo ni!' Doedd gan Mam a Dad ddim ffôn yr adeg honno ac mi oedd y plismyn wedi cael eu gyrru i chwilio amdana'i. Jest cyn mynd i'r *Lion* mi o'n i wedi bod yn siarad efo ffrind imi yn iard ei ffarm a hwnnw'n deud bod petha'n mynd yn flêr yn y Falklands. 'Ddigwyddith ddim byd,' medda fi. 'Dydi petha felly ddim yn digwydd yn yr oes yma.' A'r funud nesa mi oedd y plismyn 'ma'n rhoi warant trên i mi, ac yn deud wrtha i am bacio bob dim a mynd yn f'ôl i *Bickleigh Barracks* at y *42 Commando*.

Lwc neu anlwc Michael oedd bod y môr-filwyr y perthynai iddynt wedi eu hyfforddi ar gyfer yr union fath o ryfela y credai'r strategwyr y byddai gofyn amdano, nid yn y Falklands ond yn Ne Georgia, 800 milltir ymhellach i'r dwyrain. Mae'r ynys honno'n ddibyniaeth Brydeinig sy'n cael ei gweinyddu o Port Stanley, ei thirwedd ymhlith y mwyaf garw yn y byd, ei mynydd uchaf bron deirgwaith yn uwch na'r Wyddfa a'r rhan fwyaf o'r ynys o dan rew ac eira gydol y flwyddyn. Yno y cafwyd yr arwydd cyntaf o'r argyfwng oedd i ddigwydd yn Ne'r Iwerydd.

Ar Fawrth 19, 1982 cafodd y dyrnaid o wyddonwyr Prydeinig oedd yn byw yno, aelodau o'r *British Geological Survey*, ymwelwyr annisgwyl. Glaniodd criw o fasnachwyr sgrap o Ariannin gan ddweud wrth y gwyddonwyr eu bod yno i ddatgymalu a phrynu hen orsaf drin morfilod yn Leith. Yn ôl pob tebyg roedden nhw'n dweud y gwir. Ond yn ogystal â dynion busnes roedd yno rai mewn dillad milwrol, ac fe godon nhw faner Ariannin ar yr ynys.

Ar Ebrill 3 fe laniodd rhagor o filwyr Archentaidd mewn llongau a bu farw tri ohonynt mewn ffrwgwd gyda dyrnaid o fôr-forwyr Prydeinig oedd yno o'u blaenau. Doedd gan y Prydeinwyr fawr o ddewis ond ildio. Penderfynodd y Cabinet rhyfel yn Llundain bod yn rhaid ailfeddiannu De Georgia ar fyrder, am resymau gwleidyddol yn bennaf. Roedd angen rhoi hwb i ysbryd y tasglu oedd ar ei ffordd i'r de, a dangos i'r Archentwyr eu bod nhw o ddifri. Casglwyd tua 230 o ddynion arbenigol ar gyfer y dasg. Roedd y cnewyllyn yn perthyn i'r 42 *Commando*, ac yn eu plith roedd Michael John Griffith.

Mi o'n i wedi joinio'r *Royal Marines* ar ddiwedd 1980, wythnos cyn fy mhenblwydd yn 17 – ei weld o'n ffordd o drafeilio'r byd yn fwy na dim. Doedd neb o 'nheulu fi wedi gneud dim byd fel hyn a wyddwn i ddim beth i'w ddisgwyl, heblaw be' o'n i wedi'i ddarllen yn y pamffledi. Mi oeddan ni'n cychwyn mewn canolfan hyfforddi yn Lympstone yn Devon, ac yno'r oeddan ni am chwe mis. Mi oedd o'n ddiddorol iawn ond yn ofnadwy o galed. Roedd 'na 64 ohonon ni ar y dechra, a 28 yn gorffen. Ond ar y diwedd mi ges fy nerbyn i'r 42 *Commando*.

Ymladd mewn mynyddoedd a rhew ac eira yw arbenigedd yr

uned honno. Roedden nhw'n treulio pob gaeaf yn ymarfer yn Norwy, gan ddysgu sgïo, mynydda a dygymod ag oerfel.

Mi fuon ni am dri mis yn Narvic, tu fewn i'r Arctic Circle, a mi oedd 'na chwerthin ofnadwy wrth ddysgu sgio. Roeddan nhw'n ein dysgu ni sut i sefyll ar sgis, sut i blygu'n penaglinia, sut i fynd i lawr allt – pob dim ond sut i stopio a sut i droi! Ond erbyn y diwedd mi oeddan ni'n medru sgio'n iawn efo'r paciau 'ma ar ein cefnau oedd mor drwm fel bod angen dau ddyn i'w codi nhw. Mi fuon ni yno tan ddechrau mis Mawrth a wedyn mi oeddan ni'n llnau'r gynnau a'r sgis a bob dim a rhoi popeth i mewn i'r stôrs, a mynd adra dros y Pasg.

Hwnnw oedd y gwyliau a dorrwyd yn fyr gan y ddau blismon yn Nhudweiliog. Cyn pen dim roedd pawb yn ôl yn y barics, y sgis a'r gynnau allan unwaith eto, a rheolau newydd mewn grym.

Fel arfer mi oeddan ni'n cael mynd a dwad fel lecian ni, doedd dim rhaid inni ofyn am hawl i adael y camp na dim byd felly. Ond rwan doeddan ni ddim yn cael mynd fwy na deg munud o daith o'r lle. Mi oeddan ni ar full operational alert ac yn barod i symud mewn 24 awr os na fasa rhywbeth yn digwydd ar ochor y politics. Bob diwrnod mi oedd 'na betha newydd yn cyrraedd y camp, arfau o America a rheini'n sgleinio, rhaffau neilon mwya modern ar gyfer abseilio i lawr mynyddoedd, unrhyw beth oedd rhywun isio mi oedd o i'w gael dim ond inni ofyn.

'To your duties in the South Atlantic, quick march!'
Daeth y gorchymyn hwnnw gan bennaeth y *42 Commando* i'w ddynion yn un o ddywediadau enwog y rhyfel, ond doedd y dynion i gyd ddim yn martsio i'r un cyfeiriad. Roedd dau o'r tri chwmni o fewn yr uned yn dal bysys i Southampton i hwylio

i'r Falklands ar y *Canberra*, lle byddai'r byd a'r betws yn gwylio'u hymadawiad ar y teledu. Yr eithriad oedd yr *M Company*. Aelod o hwnnw oedd Michael.

Dyma nhw'n ein martsio ni, cant a deg ohonon ni, i'r gym yn y baracs, a'n rhybuddio ni bod popeth oedd yn cael ei ddeud wrthon ni rwan yn hollol gyfrinachol, doedden ni ddim yn cael deud dim gair wth neb. Roeddan ni wedi cael ein dewis i fynd i South Georgia efo *D Squadron* yr *SAS*... Y plan oedd, os medran nhw yrru ychydig ohonon ni efo'r *SAS* i South Georgia a rhoi cweir iawn i'r Argentinians yn fan'no, mi fasan nhw'n gweld 'Mae rhain yn meddwl busnes,' a mi fasan nhw'n mynd allan o'r Falklands a mynd am adra cyn i ddim byd gwaeth ddigwydd. Mi oeddan nhw'n trio bob dim, dwi'n meddwl, i nadu rhyfel.

Mi oedd gynnon ni un noson arall yn y camp i baratoi, cael gynnau a grenade launchers a bob dim. A dwi'n cofio mynd i ffonio mam mewn ciosg a hitha'n deud "Dan ni 'di gweld bod rhai ohonoch chi yn Southampton...' Mi oeddan nhw'n ffilmio'r llongau'n cael eu llwytho a bob dim er mwyn trio rhoid dipyn o hwb i'r ochor wleidyddol, dangos bod yr hogia 'ma ar eu ffordd a'n bod ni ni o ddifri. Ond doedd 'na neb yn ein ffilmio ni rhag i'r ochor arall sylweddoli'n bod ni'n mynd i South Georgia a paratoi i amddiffyn y lle yn well. A fedrwn i ddim deud dim gair am hynny wrth Mam, doedd fiw imi.

Y diwrnod wedyn roedd Michael a'i griw yn dal bws i ganolfan yr Awyrlu yn Brize Norton cyn hedfan i Ynys Dyrchafael, yng nghanol Môr Iwerydd a bron ar y cyhydedd. Daeth yr ynys fechan honno, sy'n diriogaeth Brydeinig, yn ganolfan bwysig yn ystod y rhyfel.

Ychydig cyn hynny mi o'n i yn yr Arctic Circle, mi o'n i wedi bod adra ym Mhen Llŷn, a rwan mi o'n i yn Ascension yng nghanol gwres ofnadwy – hynny i gyd wedi digwydd mewn deg diwrnod! Mi oedd yn ddistaw yno pan gyrhaeddon ni, dim eroplen ar y rynwe na dim. Ond wedyn mi landion ni yn y VC10 ac mi ddechreuodd yr awyrennau Hercules 'ma ddwad i mewn un ar ôl y llall efo'n stwff ni i gyd, helicopters yn codi'r petha mewn rhwydi a mynd â nhw allan i longau oedd reit bell allan yn y môr. Yn sydyn mi oedd bob dim yn symud yn sydyn iawn.

Roedd y fordaith oddi yno i Dde Georgia yn parhau am wythnos ac yn antur ynddi'i hun. Yn y fintai roedd pedair llong, yn cario chwe hofrennydd yn ogystal â'r milwyr a'u hoffer a'u harfau. Tancer o'r enw *Tidespring* oedd un o'r llongau. Hi oedd yn cario olew a dŵr i weddill y fintai. Ar honno y rhoddwyd Michael i deithio.

Mi oeddan ni'n mynd allan i'r llong ar rafftiau, tua ugain ohonon ni ar bob rafft nes bod ni bron o'r golwg yn y dŵr, tra'r oedd yr helicopters yn cario'r gêr i gyd. Ar ôl cyrraedd y llong mi oeddan ni wrthi ddydd a nos yn llwytho. Roedd yr helicopters yn landio ar y dec yn nghefn y llong ond mi oedd yr arfau i gyd yn gorfod cael eu cadw yn y pen blaen ac yn drwm ofnadwy, felly mi oeddan ni'n gneud tsiaeniau o ddynion i basio'r grenades a ballu o un i'r llall. Dydw i erioed wedi bod mewn lle mor boeth a roeddan ni i gyd wedi mynd yn benysgafn. Roedd rhaid inni orffen symud popeth i'r ffrynt cyn basa'r llong yn cychwyn.

Dydi tancer fel y *Tidespring* ddim wedi'i gneud i gario soldiwrs. Achos ei bod hi mor boeth yno mi oedd 'na 14 ohonon ni'n cysgu allan ar y dec ucha. Mi oedd 'na amser i ymlacio rhywfaint ac astudio lluniau o Dde Georgia tra'r oeddan nhw'n egluro inni beth oedd y plan. Mi oddan ni'n trenio yn ystod y dydd, abseilio ar y bridge ac ati. Roedd hi'n reit braf am tua tri diwrnod, ond wedyn mi ddechreuodd y tywydd newid wrth inni fynd yn bellach i'r de. Un noson mi ddeffrais i ganol nos a clywed dwy neu dair clec. Roedd y gwynt wedi codi a'r tonnau'n dwad dros y top – oeddan ni yng nghanol storm, a camp-beds pawb wedi gwlychu.

Trwy'r adeg mi oedd y llongau 'ma'n mynd efo'i gilydd cyn gyflymed â medran nhw, nes bod y dŵr yn berwi tu nôl. Mi oedd hi'n werth ichi weld y tancer anferth 'ma'n llenwi'r llongau eraill, y frigates a'r destroyers, efo olew a dŵr: y llongau i gyd yn dwad wrth ochra'i gilydd ac yn saethu lein dros drwyn pob un a lein arall dros y cefn, a fflagiau o wahanol liwiau ar bob lein i ddangos pan oedd y llongau'n mynd i mewn neu allan, fel bod pob un yn mynd yn hollol syth efo'i gilydd tra'r oeddan nhw'n cael eu llenwi.

Mae'r tonnau yn yr Atlantic yn medru bod yn anferth. Mi stopion ni yn un lle a practisio mynd i lawr ar yr inflatables yn ystod y nos. Rhoi rhwydi i lawr ochor y llong a dringo lawr y rheini a cario'n harfau i gyd. Doedd hi ddim yn dywydd mawr ond mi oedd 'na gymaint o swel nes bod y dinghies yn codi deuddeg i bymtheg troedfedd, felly mi oedd rhaid amseru'r peth yn iawn. Tasa hi'n dywydd stormus fasa fan'no ddim yn lle da i fod.

Wrth i'r fintai nesu at Dde Georgia cawsant wybodaeth fod un o longau tanfor Ariannin hefyd ar ei ffordd i'r ynys: hen un Americanaidd o'r enw *Santa Fe*, yn gweithio ar diesel a batris. Y gred oedd ei bod yn cario milwyr o un o unedau lluoedd arbennig Ariannin, a allai wneud y dasg o ailfeddiannu'r ynys yn llawer anoddach. Roedd y fintai Brydeinig ar fwy o frys nag erioed, er mwyn cyrraedd yr ynys o'u blaenau. Anfonwyd hofrennydd i chwilio am y *Santa Fe*.

Achos ei bod hi mor hen mi oedd y sybmarin yn gorfod dwad i'r wyneb bob hyn a hyn i chargio'r batris. Mi ffendiodd criw y *Wessex* 'ma hi a tanio missile at y conning tower nes bod 'na dwll ynddo fo, oedd yn ei slofi hi a'i nadu hi rhag sincio. Erbyn hyn mi oeddan ni jest rhy bell allan i fedru landio, ond mi oedd y destroyer a'r frigate yn tanio be' maen nhw'n alw'n NGS – naval gunfire support – at lle'r oedd yr Argentinians yn Grytviken Bay, a'r *SAS* yn dechrau landio oddi ar *HMS Antrim*.

Beth sy'n digwydd efo'r NGS 'ma ydi bod yr helicopter yn mynd i fyny a rhoi gwybod i'r llongau yn union lle i danio, a mi saethon nhw rownd ar ôl rownd fel tasan nhw'n trio dychryn yr Argentinians. Mi oedd y rheini'n gwbod nad oedd y *Santa Fe* ddim wedi cyrraedd – mi oedd honno'n dal i drio baglu'i ffordd i mewn – a mi oedd yr *SAS* wedi landio o'r tu ôl iddyn nhw. Dwi'n cofio siarad efo rhai o'r bois *SAS* wedyn. Be' welodd y rheini pan gyrhaeddon nhw oedd cae ffwtbol, yr unig beth fflat oedd yno, a mae'n debyg bod 'na anti-personnel mines, rhai bach 'ma tua'r un maint â soser, drosto fo i gyd. Ond yn sydyn mi oedd y bois *SAS* 'ma'n dwad ar ei draws o, petha fel'na 'ma'r *SAS* yn neud, maen nhw'n meddwl 'mi tsiansian ni hi i'r diawl, mi reda i ar draws ac os colla i nhroed wel dyna fo...'

Wedyn mi oeddan ninnau'n cyrraedd, a mi fedrwch chi ddychmygu sut oedd yr Argies yn teimlo wrth weld y shells 'ma'n dwad yn nes ac y nes atyn nhw, mi oedd o fel neidr yn dwad amdanoch chi a chitha'n gwbod 'os na wnawn ni rywbeth mi fydd rhain yn landio yn fy nghwpan de fi'. A'r peth nesa, mi welson ni fflag gwyn yn cael ei godi a mi glywson ni ar y radio bod nhw wedi ildio wrth i'r *SAS* eu cyrraedd nhw. A dyna fo, mi roethon nhw'u harfau i lawr.

Cafodd un o griw y *Santa Fe* ei saethu'n farw ar ôl i un o'r milwyr Prydeinig feddwl ei fod yn bwriadu agor falf a fyddai wedi suddo'r llong danfor. Ar wahân i hynny doedd y naill ochr na'r llall ddim wedi saethu neb ym mrwydr gyntaf rhyfel De'r Iwerydd. Y dasg nesaf oedd penderfynu beth i'w wneud â'r carcharorion.

Mi oeddan ni wedi eu rhoi nhw mewn gwahanol stafelloedd

yn stesion y *British Geological Survey*, ond doedd y lle ddim wedi'i wneud ar gyfer cadw POWs. Wrth gwrs mi oeddan nhw i gyd yn cael eu ffrisgio ond doedd neb wedi ei glymu na dim byd felly. Mi oedd hi'n amlwg nad oeddan nhw ddim isio bod yno. *Conscripts* oeddan nhw a doedd 'na neb i'w weld isio cwffio. Dros yr ynys i gyd roedd 'na rai'n deud dros y radio eu bod nhw isio rhoi'r gorau iddi hefyd. Mi oeddan ni'n eu gardio nhw, eu prosesio nhw, trefnu bod nhw'n cael bwyd a lle i gysgu a bob dim, a ninna'n gneud ein rotas, yn gweithio am ddwyawr ar y tro. Wedyn gafon ni warad ohonyn nhw'n reit handi! Dwi'n credu inni eu rhoi nhw'n ôl ar long o Argentina. Mi oedd 'na olwg reit drist arnyn nhw.

I ni mi oedd y peth yn anticlimax mewn ffordd. Ond mi oeddan ni yno i wneud job, ac mi wnaethon ni hynny yn reit broffesiynol. Mae'n anodd rhoi'r argraff iawn i chi rwan o sut oedd petha yno, dydach chi ddim yn gweld y tywydd, dach chi ddim yn gweld lle'r oeddan ni yng nghanol y mynyddoedd. Mae'r gwynt yn chwyrlïo a mae 'na iceburg cymaint â'r tŷ gwair acw'n mynd heibio. Fedar neb ddeall yn iawn heb fod yno.

Anticlimax arall oedd nad aethon ni ddim ymlaen i'r Falklands. Mi oeddan ni wedi bod mor brysur yn paratoi, ond rwan mi gafon ni'n cadw'n ôl fel *Quick Reaction Force*, deudwch bod isio rwbath yn sydyn, neu bod rhywun yn rwla wedi mynd i drybini ofnadwy a lot wedi cael eu lladd, ni fasa wedi cael ein galw i'w helpu nhw.

Ond yn De Georgia roeddan ni trwy'r adeg. Ar ôl cael gwared o'r Argentinians o fan'no mi oedd hi'n rhyfel dawel iawn i ni. Ond fedren ni ddim gadael yr ynys rhag ofn basan nhw'n dwad yn ôl.

Doedd rhieni Michael ddim wedi clywed ganddo nes bod yr Archentwyr ar y Falklands wedi ildio, a'r rhyfel ar ben.

Mi oedd 'na satellite phone ar yr *HMS Endurance* a mi ddeudon nhw y basan ni'n cael mynd yno i yrru telegram neu ffonio. Pan oedd bob dim drosodd mi es i yno i ffonio i tŷ nain. Hyd yn oed wedyn do'n i ddim yn cael deud lle o'n i, dim ond deud 'mod i'n iawn.

Ar y diwedd mi yrron nhw'r *Scots Guards* i gymryd ein lle ni a mi ddaeth rhyw frigate type 31 yno i fynd â ni yn ôl am Ascension, a helicopters yn mynd â ni i'r lan. Erbyn hynny mi oddan ni'n teimlo'n bod ni wedi gneud uffar o job dda, yn teimlo ar ben y byd. Mi oedd 'na bob math o betha yn Ascension rwan, yn hollol wahanol i'r lle distaw pan oeddan ni yno gynta. Roedd y post ar ein cyfer ni'n dal yno, heb gael ei yrru mlaen. Dwi'n cofio cael llythyrau a cacan fawr.. Oddan ni'n gorfadd yn yr haul a watsiad ffilms... a digon o ddiod. Pawb yn teimlo fel 'let go', a doedd 'na neb am ddeud wrthoch chi am beidio.

Dwy noson yn fan'no, a dyma nhw'n deud wrthon ni bod nhw'n trefnu rhyw groeso mawr inni yn *RAF St Mawgan* [yng Nghernyw]. Mi fydda rhieni pawb yno a pawb yn gneud ffws ohonan ni am mai ni oedd wedi rhyddhau y darn cynta o'r ynysoedd... neis ar y pryd ond wrth sbio'n ôl cael eich iwsio dipyn bach oddach chi a deud y gwir.

Yn *RAF St Mawgan* mi oedd Mam a Dad a 'nheulu fi i gyd yno, lot o faneri, y bobl bwysig i gyd, a sŵn y cameras yn clicio ac yn troi. A dyna fo, mi aethon ni'n ôl i'r camp efo'r gynnau a'r stwff i gyd, eu llnau nhw a'u cadw nhw, 'r un fath yn union â tasan ni newydd orffen yn Norwy. Ond yn y chwe mis yna mi o'n ni wedi mynd o Narvic yn yr Arctic Circle i'r Antartic ac yn ôl – ac wedi cael peint yn y *Lion*.

6. RONNIE GOUGH, EL BOLSON

Chafodd yr un mynydd well enw na Piltiquitron. Mae'n hofran yn dalsyth uwchben tref El Bolson yn yr Andes, ddwywaith yn uwch na'r Wyddfa, a'i grib ysgythrog yn drwm dan eira yng ngwanwyn cynnes mis Tachwedd. Ystyr yr enw, yn iaith yr Indiaid, yw 'mynydd yn hongian o'r cymylau'.

Mae El Bolson yn nhalaith Rio Negro, y dalaith i'r Gogledd o'r Wladfa, ond mae'r Gymraeg i'w chlywed yma hefyd. Wrth droed y mynydd mae gwesty gwledig o'r enw *Rhona Hue* – 'lle Rhona'. Er bod Rhona Gough yn ei hwythdegau ac yn byw bellach yn Bariloche, gan milltir ymhellach eto i'r Gogledd, mae'n dal i dreulio llawer o'i hamser yn helpu'i mab, Ronnie, yn y gwesty. Yn wraig fer, fywiog a direidus, mae Rhona'n siarad Cymraeg yn rhugl. Un hen daid iddi oedd Michael D.Jones, prif bensaer breuddwyd y Wladfa. Un arall oedd Lewis Jones, yr arloeswr a roddodd ei enw i Drelew. Mae Rhona'n cofio gwraig Lewis Jones, ac yn sôn amdani fel ei 'Nain Fawr'. Mae ganddi lyfr oedd yn eiddo i Nain Fawr, sef cyfrol Mrs Beeton ar sut i gadw tŷ.

Dydi Ronnie'r mab ddim yn siarad Cymraeg, er yr hoffai fedru gwneud hynny. Mae'n siarad Saesneg yn rhugl, ac fel yn achos Milton Rhys fe gafodd hynny ddylanwad ar y gwaith a roddwyd iddo yn rhyfel y Malvinas. Llais Ronnie Gough oedd y llais Archentaidd cyntaf a glywodd y Kelpers yn eu hannerch ar y radio ar yr ail o Ebrill 1982.

Wrth edrych arno heddiw, yn ddyn rhadlon, ychydig yn swil, sy'n rhannu'i amser rhwng datblygu'r gwesty a threfnu teithiau marchogaeth i ymwelwyr, mae'n anodd credu ei fod wedi bod yn uchel swyddog militaraidd yn ystod yr unbennaeth y bu ei thranc yn un o fendithion prin rhyfel y Malvinas.

Roedd fy nhad wedi'i eni yn Ariannin, ond Saeson oedd ei deulu ar y ddwy ochr. Roedd yn gweithio fel rheolwr tir i gwmni Seisnig oedd yn berchen llawer o *estancias* – ffermydd mawr – yma ym Mhatagonia. Oherwydd y cysylltiad hwnnw mi ges i fy addysg gynradd i gyd, a rhan o fy addysg uwchradd, mewn ysgol breswyl Saesneg yn Buenos Aires. Roeddwn i'n siarad Saesneg yn rhugl ac roedden nhw'n ymdrechu i roi tipyn o ddiwylliant Seisnig i ni hefyd. Ond mae'n eironig mai yno hefyd y dysgais i gynta mai Ariannin oedd piau ynysoedd y Malvinas.

Yn 17 oed mi es i goleg y Llynges yn Rio Santiago, 60 cilometr o Buenos Aires. Roeddwn i yno am bedair blynedd ac mi raddiais yn Midshipman. Ar ddiwedd y cyfnod mi fum ar daith Ewropeaidd ar un o longau ysgol y Llynges. Roedden ni yn Llundain am gyfnod, ond chefais i ddim cyfle i chwilio am fy mherthnasau yng Nghymru. Fues i erioed yng Nghymru, ond dwi'n awr yn tynnu at fy nhrigain oed ac mae hynny'n rhywbeth y bydd yn rhaid imi ei wneud cyn bo hir.

Pan oeddwn i'n dilyn fy ngyrfa yn y Llynges mi ddaeth y cyfnod sy'n cael ei adnabod fel y 'rhyfel budr', rhan anffodus iawn o'n hanes ni fel Archentwyr. Allwn ni ddim bod yn hapus am y peth ac roedd y canlyniadau'n ddychrynllyd i'r ddwy ochr. Fedrwn ni ddim bod yn falch o'r rhan honno o'n hanes. Mi wnaethon ni bethau ofnadwy ar y ddwy ochr – dwi'n dweud 'ni' achos roeddwn i'n rhan o'r peth ar yr ochr filitaraidd, ac roedden ni'n ymladd yn erbyn ein cydwladwyr yn Ariannin. Ond fedrwch chi ddim datgysylltu'n hanes ni oddi wrth yr hyn oedd yn digwydd yng ngweddill y byd. Hwn oedd cyfnod y Rhyfel Oer, dwyrain yn erbyn gorllewin, ac roedden ninnau'n rhan o hynny. Un peth sy'n annheg ydi bod rhai pobol oedd ar yr ochr arall i ni yn cael eu cyfri'n arwyr, er eu bod hwythau'n gwneud pethau erchyll hefyd. Diolch i Dduw bod y cyfnod hwnnw drosodd, ond rydan ni'n dal i dalu'r pris am y pethau oedd yn digwydd yn y dyddiau hynny. .

Erbyn cyfnod y Malvinas roeddwn i'n 35 oed, yn Lieutenant Commander ac yn is-bennaeth bataliwn cerbydau amffibian. Mae'r cerbydau hynny'n symud ar draciau yr un fath â tanc, mae 'na le i 25 o bobol ar bob cerbyd, ac mae'r rheini'n cael eu gollwng o'r llongau a'u cario i'r lan.

Un bore yn nechrau Ionawr 1982 mi ges alwad gan bennaeth môr-filwyr Ariannin, Admiral Busser. 'Mae'n rhaid inni roi trefn ar ein cerbydau i gyd, er mwyn mynd ar ymarferion efo'r Fyddin,' medda fo. Gofynnais faint o bobol fyddai angen inni eu rhoi ar y lan. 'Pum cant,' medda fo. 'Ond dim ond ymarfer ydi hyn.' Felly mi aethon ni ati i drwsio ac adnewyddu'r cerbydau i gyd.

Ionawr ydi canol yr haf i ni, a'r mis hwnnw fi oedd yn gyfrifol am y bataliwn achos bod y dyn oedd yn arfer bod yn bennaeth ar ei wyliau. Wedyn mi es innau ar fy ngwyliau, a pan ddois i'n ôl i fy ngwaith yn Chwefror roedd pethau'n edrych dipyn yn fwy difrifol. Mi fydden ni'n darllen y papurau newydd ac yn ceisio cael rhyw syniad o'r hyn oedd yn digwydd. Roeddwn i'n sicr ein bod ni'n mynd ar ymarferiad go bwysig efo'r fyddin. Ac mi ddaeth yn amser inni adael Puerto Belgrano, lle mae llongau'r Llynges yn arfer angori. Roedd yr holl baratoi drosodd, a ninnau'n hwylio am y Malvinas.

Mi fuon ni ar y môr am bump neu chwe diwrnod, a chael ein dal mewn un storm ofnadwy. Ond roedd yr ail o Ebrill yn ddiwrnod tawel braf a'r storm wedi distewi. Roeddwn i'n deall erbyn hyn na fyddwn i'n gyfrifol am y cerbydau glanio yn ystod y gwrthdaro. Oherwydd fy mod i'n siarad Saesneg mi ges fy symud i waith arall, sef cadw cysylltiad efo pobol yr ynysoedd. Mi allai hynny olygu'r rhai oedd yn gyfrifol am yr orsaf radio, y *Royal Marines* Prydeinig oedd ar yr ynys, a'r ynyswyr oedd wedi cael rhywfaint o hyfforddiant milwrol ac yn aelodau o'r *Falkland Islands Local Defence Force*. A fy llais i fyddai'r ynyswyr yn ei glywed yn darllen y *communiqués* fyddai'n cael eu darlledu iddyn nhw ar y radio.

Mi laniais yn Puerto Argentino tua saith o'r gloch y bore efo'n grŵp ni, mewn hofrennydd. Nid ni oedd y rhai cynta i gyrraedd, ac roedd y maes awyr yn llawn o dractors a landrovers a fyddai'n ei gwneud hi'n amhosib i ddim o'n hawyrennau ni lanio.

Roeddwn i i fod i redeg i gyfeiriad tŷ'r Llywodraethwr, Rex Hunt. Y cynllun oedd inni feddiannu'r tŷ ac roedd eisiau i mi fod yno i ddweud wrth Mr Hunt yn Saesneg beth i'w wneud. Ond fel sy'n digwydd o hyd mewn gweithgareddau militaraidd, dydi pethau ddim yn troi allan fel mae pobol wedi'i ddisgwyl. Roedd y *Royal Marine Corps* wedi eu lleoli mewn rhan arall o'r ynys, Moody Brook, ac roedden ni'n meddwl mai yno y byddai'r rhan fwya o'r ymladd yn digwydd. Ond roedd y Saeson yn meddwl yn wahanol i ni. Y flaenoriaeth iddyn nhw oedd amddiffyn Tŷ'r Llywodraethwr, am mai fo oedd cynrychiolydd y Frenhines ar yr ynys.

Roedd fy ffrind, Pedro Giachino, yn arwain y grŵp oedd o flaen Tŷ'r Llywodraethwr, yr adeilad oedd i fod i gael ei gymryd drosodd ar amser penodedig. Doedd dim byd i'w weld yn digwydd ac roedd o'n colli'i amynedd. Mi redodd at y tŷ ei hun gan feddwl nad oedd neb yno. Ond roedd y rhan fwya o'r *Marines* Prydeinig, tua 30 i gyd, i mewn yn y tŷ. Felly wrth iddo fo ruthro ar draws y tir gwag i gyfeiriad y tŷ mi gafodd ei saethu. Mi gafodd y rhan fwya o'r *Marines* eu cymryd yn garcharorion. Roedd Pedro Giachino wedi ei anafu'n ddrwg ac yn y diwedd mi fu farw.

Ar yr union adeg honno roeddwn i ryw filltir i ffwrdd o

Puerto Argentino, ar yr ochr arall i'r dre. Ar ôl glanio yn yr hofrennydd roedden ni wedi cymryd landrover a gyrru i gyfeiriad y dre yn honno. Ond roedd yna ddau neu dri o *Marines* yn saethu aton ni ac yn ein rhwystro rhag cyrraedd y dre. Erbyn i mi gyrraedd Tŷ'r Llywodraethwr roedd yn amlwg bod yna ymladd wedi bod. Wrth imi yrru at y tŷ fe groesodd landrover arall ar draws fy llwybr. Fe dynnodd rhywun lun y ddwy landrover ac mi ymddangosodd mewn cylchgrawn yn Ariannin. Wedyn y sylweddolais i mai'r landrover honno oedd yn danfon fy ffrind mawr Pedro i'r ysbyty.

Fe ddaeth y Capten Pedro Giachino yn arwr chwedlonol yn Ariannin. Mae'n cael ei gofio fel y cyntaf i golli ei fywyd yn rhyfel y Malvinas, er bod rhai llyfrau Seisnig yn awgrymu y gallasai hyd at bump Archentwr fod wedi marw ym mrwydr gyntaf y rhyfel. Ond Giachino oedd arweinydd y cyrch, a bu farw wrth arwain ei ddynion yn ddewr ac yn fyrbwyll. Fe'i cymharwyd gyda'r Cyrnol H. Jones VC, a laddwyd mewn amgylchiadau tebyg ym mrwydr Goose Green. Mae'n fwy na thebyg mai Pedro Giachino oedd un o'r dynion y bu'r nyrs, Bronwen Williams, yn helpu i geisio achub ei fywyd yn yr ysbyty. Fel ffrind yn hytrach nag arwr y mae Ronnie Gough yn cofio amdano.

Roedd Pedro'n ddyn yr oedd pawb yn cymryd ato yn syth. Roedd o'n fawr o gorff, yn ddoniol iawn a hefyd yn ddewr, bob amser ar y blaen. Roeddwn i'n ei adnabod er pan aethon ni'n dau i'r ysgol forwrol yn 1964 ac mi gadwon mewn cysylltiad trwy'r blynyddoedd. Dwi'n cofio'r sgwrs olaf gawson ni efo'n gilydd, pan oedden ni yn y ganolfan yn paratoi. '*El Ingles*,' medda fo – 'y Sais' oedd fy llysenw ymhlith fy ffrindiau am 'mod i'n siarad Saesneg – '*El Ingles*, dyma ni o'r diwedd, rydan ni ar ein ffordd, unwaith ac am byth!' Ddwywaith neu dair cyn hynny yn ystod ein gyrfa roedden ni wedi bod yn agos at fynd i ryfel efo Chile, ond wedi troi'n ôl ar y funud olaf. Roedd hynny'n beth rhwystredig, ac roedd Pedro wrth ei fodd na fydden ni ddim yn troi'n ôl y tro yma. Roeddwn innau'n cytuno. Roedden ni'n anghyfrifol, ond yn llawn delfrydiaeth yr adeg honno ynglŷn ag amddiffyn ein gwlad a phethau felly.

Roedden ni wedi cael gorchmynion pendant i beidio rhoi'n hunain mewn peryg. Ac mi glywais gan rai o'r dynion oedd Pedro'n eu harwain ei fod yntau wedi dweud yr un peth wrthyn nhw: 'Dim byd gwallgo, popeth yn rhesymegol, peidio cymryd dim risg.' Ond pan ddaeth hi'n fater o feddiannu Tŷ'r Llywodraethwr, fo oedd y cynta i ruthro i mewn, mewn grŵp o bump neu chwech yn erbyn dros 30, a fo oedd y cynta i farw. Roedd o'n gwisgo siaced gwrth-fwledi ond mi gafodd ei daro yn ei goes gan dorri'r brif wythïen.

Erbyn i Ronnie Gough gyrraedd Tŷ'r Llywodraethwr roedd ei ddyletswyddau gwreiddiol wedi newid. Roedd ei bennaeth milwrol yno o'i flaen a welodd Ronnie mo'r Llywodraethwr Rex Hunt.

Mi gefais orchymyn i fynd â'r bobol oedd yn perthyn i'r *Falkland Islands Local Defence Force* i gyd i'r gym at ei gilydd, ac o'r fan honno wedyn i'w tai eu hunain. Yn y cyfamser mi aeth rhai o'n grŵp ni i gymryd yr orsaf radio drosodd. Erbyn i mi gyrraedd yno roedd Patrick Watts, oedd yn gyfrifol am yr orsaf, wedi cynhyrfu'n arw. Roedd gen innau swyddog ifanc – midshipman – oedd ddim yn un doeth iawn. Fel llawer o rai ifanc roedd o'n gweld popeth yn ddu a gwyn. Felly roedd rhaid imi anfon y midshipman allan ac mi ddwedais wrth Patrick Watts y bydden ni'n mynd adre ac yn dod yn ôl y diwrnod wedyn i weld beth allen ni 'wneud. Mi fum i'n siarad efo dyn arall oedd yn yr orsaf radio – dwi ddim yn cofio'i enw ond dwi'n meddwl mai Awstraliad oedd o. 'Ronnie,' medda fo, 'Does ganddoch chi ddim syniad beth fydd yn digwydd o hyn allan.' Yr awgrym oedd y byddai Llywodraeth Prydain yn gyrru eu lluoedd arfog i'n troi ni allan o'r ynysoedd, ac wrth gwrs roedd ei broffwydoliaeth yn hollol gywir.

Fy ngwaith i oedd darllen y *communiqés* i ddweud wrth bobol yr ynys beth oedd yn digwydd. Mae ffrind i mi wedi cadw recordiad o rai ohonyn nhw ond does gen i fawr o awydd gwrando arno erbyn hyn.

Mae cofnodion o'r darllediadau ar gael, a hwn oedd un o'r rhai cyntaf:

At this historic highly important moment for us all, it is my pleasure to greet the people of the Malvinas and exhort you to co-operate with the new authorities by complying with all the instructions that will be given through oral and written communiqués, in order to facilitate the normal life of the entire population.

Mae'r geiriau'n cael eu priodoli i Osvaldo Jorge Garcia, oedd wedi cael y teitl 'The Governor of the Islas Malvinas, Georgia del Sur and Sandwich del Sur'. Ond mae'n debyg mai llais Ronnie Gough a glywyd yn darlledu'r neges.

Mi fyddwn i'n sgwrsio ar y ffôn efo rhai o bobol yr ynys, oedd ddim yn hapus efo rhai pethau fydden nhw wedi eu clywed ar y radio, dim byd pwysig iawn. Dwi hefyd yn cofio cwpwl o Loegr, oedd yn ymweld â'r ynysoedd, yn holi sut y gallen nhw fynd allan. Roedd fy Saesneg i'n well yr adeg honno na mae o heddiw, a doedden nhw ddim yn medru credu eu bod nhw'n siarad efo Archentwr. Rhyw bethau bach fel yna sy'n aros yn y cof, dim byd pwysig o ran y rhyfel cyfan.

Mi ddigwyddodd un peth digon doniol, yn ymwneud â Major yn ein byddin ni. Mi ddwedodd hwnnw wrtha i am anfon neges ar y radio i ddweud wrth bobol yr ynys bod yn rhaid iddyn nhw o hyn allan yrru ar ochr dde y ffordd yr un fath â ni yn Ne America. Dyna'r gorchymyn oedd wedi dod gan y General medda fo. Allwn i ddim credu 'mod i'n derbyn y fath neges. Mi ddwedais nad oedd gen i ddim bwriad i roi gorchymyn mor dwp i'r ynyswyr, a bod yna bethau llawer pwysicach i boeni amdanyn nhw. Mi ddigwyddodd hyn tua hanner nos. Yn gynnar y bore wedyn mi ddaeth y Major heibio a gofyn oeddwn i wedi cyhoeddi'r gorchymyn, gan ddweud bod y General ei hun yn gyfrifol am y penderfyniad. Mi ddwedais innau nad oeddwn i ddim wedi rhoi'r gorchymyn nac yn bwriadu gwneud. Erbyn hyn roeddwn i wedi dweud wrth fy mhennaeth fy hun yn y Llynges am y mater, a'i ymateb o oedd chwerthin. Cofiwch mai ni yn y *Marines* (Archentaidd) oedd yn bennaf gyfrifol am y glanio cyntaf, ond erbyn hyn roedd ganddon ni General o'r Fyddin uwch ein pennau ni. Welais i mo'r Major hwnnw byth wedyn, a dwi ddim yn gwybod ddaru nhw newid ochr y drafnidiaeth yn nes ymlaen.

Ond y pnawn hwnnw roeddwn i'n gyrru rownd yr ynys yn y landrover. Roeddwn i'n gyrru ar y dde fel roeddwn i wedi arfer gwneud, a'r ynyswyr, neu'r 'Kelpers', wrth gwrs yn dal i yrru ar y chwith yn ôl eu harfer nhw. Wrth imi fynd rownd un tro mi ddois wyneb yn wyneb â landrover arall ar yr un ochr â fi, yn gyrru tuag ata i. Roedd y gyrrwr yn aelod o'r *Falkland Islands Local Defence Force*, a finnau wedi ei ryddhau y bore hwnnw. Mi wnaethon ni 'nabod ein gilydd, ac roedd y ddau ohonon ni'n chwerthin. Ond roedden ni o fewn eiliadau i gael damwain. Ac mi ddechreuais feddwl hwyrach mai'r General oedd yn iawn, ac y dylwn i fod wedi rhoi'r gorchymyn hwnnw allan wedi'r cyfan!

Dim ond yn ystod y cyrch cyntaf un y bu Ronnie Gough ar yr ynysoedd. Daeth ei gyfnod yno i ben wedi 72 o oriau.

Yn hwyr un noson, neu'n gynnar iawn yn y bore, mi gawson ni'n rhoi ar awyren a'n cario i Tierra del Fuego yn rhan fwyaf deheuol Patagonia. Ein cred ni ar y pryd oedd y byddai criw bach o filwyr Ariannin yn aros ar yr ynysoedd, y byddai'r ymladd yn dod i ben a rhyfel diplomyddol yn cymryd drosodd. Ar ôl y sioc gyntaf mi fyddai Prydain yn rhoi mwy o flaenoriaeth i bwnc y Malvinas, a'r gwleidyddion yn dod i ryw gytundeb. Ond nid felly digwyddodd pethau wrth gwrs.

Roeddwn i ar yr ynysoedd yn ystod rhan 'dda' y rhyfel, ac wedi gadael cyn i'r ymladd go iawn ddechrau. Un diwrnod pan oeddwn i'n goruchwylio fy Uned yn Tierra del Fuego, mi welais hen ffrind oeddwn i'n ei adnabod ers dyddiau'r Ysgol Forwrol. Roedd o'n beilot awyren erbyn hyn. Mi gawson ni ginio efo'n gilydd. Y diwrnod wedyn mi aeth o ar gyrch i'r Malvinas, ond ar ôl methu dod o hyd i'r targed mi ddaeth yn ôl efo'i lwyth llawn o fomiau. Roedd 'na rew ar y lanfa, mi ddechreuodd yr awyren sgidio ac mi neidiodd yntau allan gan daro'r ddaear a chael ei ladd yn syth. Wedyn mi unionodd yr awyren ohoni'i hun a dal i fynd nes iddi ddod i'w hunfan heb unrhyw ddifrod. Fo a Pedro Giachino oedd yr unig ffrindiau gollais i yn y rhyfel.

Rydw i'n dal yn hollol glir yn fy meddwl bod hawl Ariannin i'r ynysoedd yn gywir. Ond doedd y ffordd yr aethon ni ati i'w hennill nhw'n ôl ddim yn iawn. Mi wnaethon ni yr union beth oedd Mrs Thatcher isio inni ei wneud, ac mi gostiodd hynny'n ddrud iawn i'r ddwy ochr.

Un peth da ddaeth allan o hyn oedd gwneud i'r Archentwyr ddechrau gwerthfawrogi democratiaeth. Roedd y bobol wedi cael llond bol ar reolaeth y militari ac mi gawson ni'n cicio allan. Mae'n anffodus fod yn rhaid inni fod wedi mynd trwy'r 'rhyfel budr' a rhyfel y Malvinas cyn i hynny ddigwydd. Diolch i Dduw nad ydi pobol Ariannin eisiau cael eu rheoli gan y milwyr byth eto, a'r hyn sy'n bwysicach, dydi'r milwyr ddim eisiau llywodraethu. Ers

ugain mlynedd mae'r bobol filitaraidd yn gweld eu hunain
yn rhan o'r broblem yn hytrach nag yn rhan o'r ateb, a fy
ngobaith i ydi y bydd hynny'n parhau.

7. HOWARD JONES, Y FELINHELI

Ar bedwar bys ei law chwith mae tatŵs o'r llythrennau J O S K. 'Joskins' oedd llysenw plant Bangor am hogia'r mynyddoedd, ac am ryw reswm roedden nhw'n meddwl bod pentre glan môr Y Felinheli yn y mynyddoedd. Dyna sut yr aeth Richard Howard Jones yn Joskin yn yr ysgol, enw a atgyfodwyd yn y Gwarchodlu Cymreig. Fel Howard y cafodd ei gyflwyno i mi, er bod rhai o'i ffrindiau yn y dafarn lle buon ni'n sgwrsio ym Mangor yn ei alw'n Rich.

Fel ei ffrind Wil Howarth sy'n adrodd ei stori ym mhennod naw, fe arhosodd Howard yn y Fyddin am flynyddoedd wedi rhyfel y Falklands, gan orffen ei yrfa filwrol, fel Wil eto, yn Sarjant yn y Swyddfa Recriwtio ym Mangor. Mae'r ddau'n dweud mai un rheswm iddyn nhw gael gwaith yno oedd eu bod nhw'n siarad Cymraeg.

Gadawodd Howard y Fyddin yn Ebrill 1998 – 'pum mlynedd i ddydd Sul' – ac ers hynny mae'n gweithio fel swyddog diogelwch a handi-man yn swyddfeydd budd-dâl y Llywodraeth yng Nghaernarfon – swydd, yn ôl rhai o'i straeon, sy'n medru bod bron mor beryglus â'r Fyddin. Ond ei bleser mawr mewn bywyd yw pysgota. Does dim byd sy'n well ganddo na hamddena yn ei gwch ar Afon Menai. Yn wahanol i Wil, dydi Howard yn cael dim trafferth i ymlacio ac aros yn llonydd. Mae'n dweud na chafodd y Falklands fawr ddim effaith barhaol arno. Ond roedd yna un gwahaniaeth: roedd Howard ar y lan pan oedd Wil a rhai o'i ffrindiau eraill ar y *Galahad*.

Mi es i Ysgol Felin gynta, wedyn i Ysgol Deiniol ym Mangor, ond wnes i adael fan'no'n 15 a dechra gweithio yn y lle cig yn Felin, y 'Laughing Pig' fel byddan ni'n ei alw fo. Fuos i'n fan'no am tua dwy flynadd a mi ges i bedair ne bump o jobsys ar ôl hynna, o'n i'n methu setlo lawr yn unlla. O'n i'n mynd efo hogan o Gaernarfon, a deud y gwir mi oedd hynny'n stopio fi fynd i'r Armi fel o'n i isio. Mi oedd cefndar i mi'n yr Armi a o'n inna'n ffansio mynd, ond o'n i'm yn mynd achos yr hogan. Ond wedyn naethon ni sblitio fyny a dyna pryd wnes i joinio'r Armi. Ond wnes i ddim para lot y tro cynta, 'mond rhyw wsnos ne ddwy, am bod hi'n ffonio fi bob tro, a mi ddois i allan o'r Armi am flwyddyn. Dyma ni'n separetio eto, go iawn tro 'ma, a mi ddeudis i OK, dwi'n mynd tro 'ma a dyna ddigwyddodd, wnes i joinio'r Armi ag yno fuos i am 23 blwyddyn a 265 diwrnod.

Mi o'n i'n hogyn drwg yn y dechra, bob amser mewn trwbwl yn yr Armi. A cyn mynd hefyd deud gwir, trwbwl efo cwffio yn Gaernarfon a hyn a'r llall. A mi ddeudodd y magistrate 'ma yn cwrt wrtha i 'os ti'n dwad i fa'ma eto ti'n mynd i jêl'. Ond es i ddim, wnes i joinio'r Fyddin. Be oedd yn digwydd wedyn pan o'n i mewn trwbwl, mi fydda plismyn yn deud 'O, soldiwr wyt ti, awn ni â chdi'n ôl i'r camp a mi gan nhw ddelio efo chdi yn fan'na. Wyddoch chi fel ma'i, pobol wedi bod yn yfed a hyn a llall, jest cwffio te. Ma pob un soldiwr wedi 'wneud o ryw dro dwi'n siwr, cwffio efo pobol ar y strydoedd. Fel 'na ma nhw'n trenio.

Pan es i i'r *Guards* gynta, fi oedd yr unig o'r recruits newydd oedd yn dwad o'r Gogledd. Jonsi oeddan nhw'n galw fi 'radag honno. Ond pan wnes i gyrraedd *regiment* mi oedd 'na hogia o Fangor yn fan'no a mi ddechreuon nhw 'ngalw fi'n Joskin. A Josk fuos i wedyn yn yr Armi, mi sticiodd am 23 blwyddyn a 265 diwrnod.

Doedd dim rhaid iddo aros yn hir cyn sylweddoli bod pobl yn

cael eu lladd yn y Fyddin, a hynny heb o angenrheidrwydd fynd i ryfel. Roedd yn bresennol yn un o'r tafarnau yn Guildford a ffrwydrwyd gan fom yr *IRA* yn 1975.

Doeddach chi ddim yn cael mynd adra yn ystod y trening tan y bumed wythnos. Ond yn y drydedd wythnos mi oeddach chi'n cael mynd allan am ddrinc, ac aros allan tan ddeg o'r gloch nos. Un noson mi aeth criw ohonon ni allan i Woking, a mi oedd hi'n boring yn fan'no, felly aethon ni i Guildford. Oeddan ni'n cerddad i fyny at y tŷ tafarn 'ma, yr *Horse and Groom*, y lle gora medda nhw, a mi oedd 'na bobol yn rhedag i lawr y stryd i'n cwfwr ni ag yn deud wrthon ni am beidio mynd i fan'no, bod o wedi cael ei chwthu fyny. Doedd hynny'n golygu dim byd i ni, doeddan ni ddim am gael ein lladd ar ôl bod yn yr Armi am dair wythnos, a mi aethon ni mlaen i'r lle arall 'ma, y *Seven Stars*. Cerdded i mewn, ordro peint, a Bang! Mi oedd fan'na i fyny hefyd, a finna tu fewn. Ches i mo fy mrifo ond mi oedd gen i gôt ledar a mi oedd honno wedi cael 'i slasho efo gwydr, a mi ges i 'nghnocio allan.

Wrth imi gerddad allan o'r *Seven Stars* mi o'n i'n gweld pysgod yn nofio lawr y lôn. O'n i'n meddwl 'Esu bach dwi'n dechra gweld petha'. Ond pan o'n i yng gwaelod y lôn mi oedd pobol yn gafal ynon ni am bod ni'n dizzy ag yn gofyn oddan ni wedi meddwi. Nagdan medda ni. A mi gathon nhw ambiwlans i fynd â ni i'r ysbyty, tsiecio ni drosodd cyn mynd yn ôl i'r camp ac aros dros nos yn y *medical centre*. Ar ôl hynna i gyd mi ges i wybod be oedd y pysgod 'ma. Dros ffordd i *Seven Stars* mi oedd 'na aquarium. Oedd y lle wedi smasho i gyd a'r dŵr yn llifo lawr lôn a pysgod yn nofio. A finna'n meddwl mai fi oedd yn gweld petha.

Gath dau *Scots Guards* oedd yn yr un *platoon* â fi eu lladd gan y bom. Nath 'na lot o hogia adael yr Armi ar ôl hynna. Ond aros wnes i. Wythnos ar ôl y bom naethon ni ddechra trenio eto a mi oedd 'na bobol yn colapsio ar y sgwâr, delayed shock. Ges i £50 allan o'r *Guilford Bomb Fund*, oedd yn lot o bres yn 1975.

Cafodd Howard ei ddyrchafu'n is-gorporal pan oedd wedi'i leoli yn Berlin yn 1978. Wedyn fe'i symudwyd yn ôl i Surrey, lle'r arhosodd am bedair blynedd. Dyna pryd y cyfarfu ei wraig, Sarah: 'Dyna pryd gwnes i ddechra callio. Ers y diwrnod cynta mae hi wedi sortio fi allan. Dwi ddim wedi bod mewn trwbwl ers hynny.' Dilynodd cyfnod arall yn yr Almaen, yn agos at hen safle gwersyll Belsen. Yn ôl eto yn Pirbright yn Surrey y priododd y ddau yn Chwefror 1982, ac o fewn deufis roedd Howard ar ei ffordd i ryfel yn Ne'r Iwerydd.

Mi o'n i'n Lance Corporal adag hynny, am yr ail dro, wedi colli'n streips unwaith. Do'n i rioed wedi clywad am y Falklands a pan wnes i glywad yr enw gynta o'n i'n meddwl mai rhyw ynysoedd i fyny yn Scotland oddan nhw. Ond dwi 'di dysgu ers radag yna bod nhw lot pellach i ffwr'. Nathon nhw ddysgu lot i ni ar y trening cyn mynd i lawr 'na, ac ar y *QE2*, nathon nhw ddangos sleids am y rock rivers sy' yna, fatha afonydd o jest cerrig mawr.

Noson o'n i'n gadael mi oeddan ni'n y gwely'n cysgu, musus wrth ochor fi, a mi o'n i'n meddwl 'Dwi'n mynd i ddeffro hi ta be?' A wnes i ddim. Wnes i slipio allan o gwely, lawr grisia, dillad on, ag allan trw drws. Tua hannar awr 'di pump yn bora oedd hi. Mynd ar y bws wedyn o Pirbright i lawr i Southampton, a gadal ar y *QE2*.

Mi oeddan ni'n gwbod pan oeddan ni tua hannar ffordd yno bod y rhyfel yn mynd i ddigwydd. Mi oedd rhai o'r *Marines* ac ati wedi cyrraedd yr ynysoedd yn barod, a'r *Belgrano* wedi cael 'i sincio. Pan oeddan ni'n trenio ar y *QE2* be oeddan ni'n neud oedd saethu oddi ar gefn y llong at fagia plastic yn y dŵr, a defnyddio live ammunition, yn union fel ydach chi'n gweld nhw'n trenio rwan ar gyfer Irac. Oeddach chi'n gwbod yn iawn bod chi'n mynd i ryfel.

Nathon ni stopio mewn dau le, yn Freetown, Sierra Leone i ddechra, a wedyn yn South Georgia. Yn fan'no mi welson ni submarine oeddan nhw wedi saethu ati, a'r hen whaling station lle nath y peth i gyd ddechra. Dim ond i fan'no aeth y *QE2*, mi gathon ni dransffer i'r *Canberra*, a dwad i ffwr' yn y diwedd oddi ar y jeti yn San Carlos.

Yn y *reconnaissance platoon* oddwn i. Oddan ni'n aros ddwy neu dair milltir o San Carlos. Agor ffosydd, cysgu noson, pacio'n cit a mynd. Mi aeth hannar y platŵn i ffwr' efo helicopters i rwla, ac oeddan nhw fod i ddod yn ôl i nôl ni, ond ddathon nhw ddim. Dechra cerddad wedyn i fyny mynyddoedd y ffordd oedd y *Paras* wedi mynd am tua pump ne chwe milltir hyd rhyw drac. Wedyn mi ddeudon nhw wthan ni bod 'na rwbath wedi digwydd, a'n bod ni'n gorfod troi'n ôl am San Carlos. Yn fan'no mi aethon ni ar *HMS Fearless*, ac aeth honno â ni rownd at ryw lan môr yn Fitzroy Bay. Yn criw ni oedd y rhai cynta i fynd i'r lan ar landing craft, achos ni oedd i fod i wneud reci o'r lle. Cerddad wedyn tua pedair, bum milltir i ryw chwaral i aros.

Doeddan ni'n gwybod dim byd be oedd wedi digwydd i weddill y batalion. Doedd neb yn deud llawar wrthon ni. Mi ddaeth hi'n olau, mi ddaeth yn nos, a'r diwrnod wedyn glywon ni bod yr hogia'n dwad ar long arall. Pan oddan ni yn y chwaral odd 'Air Warning Red', am bod nhw'n disgwl i eroplêns ddwad drosodd. Oddan ni ar standby trw'r adag. Rest o hannar awr, standby eto. Oddan ni'n clwad yr eroplens yn dwad drosodd a boms yn mynd off a gweld y mwg yn codi, ond oddan ni'n methu gweld dim llonga na dim, dim ond y mwg. O lle oddan ni'n y chwarel oedd 'na fatha ryw ddyffryn bach yn mynd lawr i'r bae. Ac oedd yr eroplens yn dwad i lawr yr aber, i hitio'r *Galahad* lle oedd ein ffrindia ni. Doeddan nhw ddim mwy na ryw 30 troedfedd wrth ein pennau ni, oeddan ni'n medru gweld gwynebau'r peilots yn glir. Mi oedd 'na *machine gun platoon* o'n blaenau ni yn saethu atyn nhw, ninnau'n saethu hynny fedran ni,

(O'r chwith uchaf, gyda'r cloc) Denzil Connick, ar dde'r llun, mewn
seremoni i osod torch De'r Iwerydd ar y Senotaff yn Llundain.
(llun: *SAMA82*); Denzil yn ei swyddfa ym Mhontllanfraith, lle mae'n
gweinyddu *SAMA82*, cymdeithas i rai fu'n ymladd ar ochr
Prydain yn y Falklands; Cofeb y Malvinas yn Buenos Aires,
gyda 650 o enwau.

(O'r chwith uchaf, gyda'r cloc) Milton Rhys, Trelew; cofeb y Malvinas ger ei gartref; Bronwen Douse (Williams gynt); a'r eglwys ym Mhort Stanley lle cyfarfu'r ddau yn 1982.

(Uchaf) Bronwen yn nyrsio ym Mhort Stanley a chyda chriw o'i
ffrindiau y tu allan i Gartre'r Nyrsus. Hi sydd ar y chwith yn y rhes
flaen. Y bedwaredd o'r chwith yw Susan Whitney o Landrindod, un
o'r 3 o ynyswyr a laddwyd yn y rhyfel.
(Gwaelod) Port Stanley yn 2002 (llun: Howard Jones).

(Uchaf) Y Cyn-Warchodwr Cymreig Wil Howarth, a achubwyd o
fflamau'r *Sir Galahad*, yn ôl ym Mhort Stanley yn 2002.
Aeth i'r ynysoedd gyda'i ffrind Howard Jones (canol).
(Gwaelod) Croeso pobl Amlwch i Wil Howarth ar ddiwedd y
rhyfel… a bwydlen foethus y *QE2* oedd ar gael i'r milwyr,
am ychydig ddyddiau.

Julio Oscar Gibbon, sy'n dal yn
filwr yn Esquel, Cwm Hyfryd.
Hawl Ariannin ar y Malvinas yn
cael ei datgan mewn enw stryd
yn Nhrevelin ac ar geg twnel
yn y Gaiman.

28ᵃⁱⁿ o Orffennaf   1865 -2002

GŴYL Y GLANIAD
I gofio ymdrech ein cyndeidiau
Glaniasant ar y traeth hwn
Yn llawn gobaith.

YSGOL GYMRAEG MADRYN

(Uchod) Michael John
Griffith yn ei gartref yn Llŷn
sy'n wynebu Garn Fadryn,
a roddodd ei enw i Borth
Madryn, lle mae'r Gymraeg
yn bodoli o hyd.
(Chwith) Michael wrth fedd
yr anturiaethwr Shackleton
ar ynys De Georgia yn 1982.

86

Dau o Ddolavon, sy'n byw bellach yn Nhrelew, a fu ar y Malvinas trwy'r rhyfel: (o'r chwith uchaf) Horacio Kent a Carlos Eduardo Ap Iwan, a gafodd y dystysgrif uchod am ei wasanaeth.
(De) Cofeb Lewis Jones, yr enwyd Trelew ar ei ôl.

Criw o filwyr y *Royal Signals* yn cyrraedd y Falklands. Yr agosaf at y camera yw Arthur Williams, a fu'n ôl ar yr ynysoedd bedair blynedd wedyn (de).

Dim ond am ddyddiau y bu Ronnie Gough (chwith) ar yr ynysoedd ond daeth ei lais yn gyfarwydd i'r trigolion ar 'Radio Malvinas'. Heddiw mae'n cadw gwesty yn y mynyddoedd yn El Bolson gyda help ei fam, Rhona (isod), gor-wyres i Michael D.Jones a Lewis Jones.

Er nad oedd ganddyn nhw gysylltiad uniongyrchol â'r rhyfel bu'n gyfnod du yn hanes Cymry Ariannin. O'r chwith uchaf, gyda'r cloc: Irma Hughes de Jones, Gaiman; Vali James de Irianni, Buenos Aires; Iris Spannaus, Buenos Aires; Rini Griffith, Esquel.

Roedd Comodoro Rivadavia yn un o ganolfannau milwrol pwysicaf Ariannin, oedd yn bryder i'r trigolion. John Benjamin Lewis (uchaf), Lila Hughes de Gastaldi, a Walter Arial Brooks, oedd yn blentyn adeg y rhyfel ac sy'n byw yng Nghaerdydd. (De) Yr ysbyty yn Commodoro Rivadavia lle byddai milwyr a glwyfwyd yn y Malvinas yn cael eu trin, a lle bu sawl rhiant yn chwilio'n ofer am feibion coll.

Cymreictod Dyffryn
Camwy: Tomi Davies
'Hyde Park', 95 oed; a
phedwar adeilad gan
gynnwys gwesty *Tŷ Gwyn*
lle bu'r awdur yn aros
yn y Gaiman.

Uchod – Cymro yn Ariannin:
Russell Isaac yn cyfweld
Gweinidog Tramor Ariannin,
y Cadfridog Costa Mendez, ar
gyfer rhaglen 'Y Dydd' yn
Ebrill 1982. Yn fuan wedyn
cafodd Russell ei arestio a'i
amau o ysbïo. Ar y dde –
Archentwr yng Nghymru:
Elvey MacDonald, yr holwyd
ei fam ym Maes Awyr
Heathrow am yr un rheswm.

Dwy antur, Un teulu. Thomas Tegai Awstin yw'r enw cyntaf ar gofeb y Mimosa ym Mhorth Madryn, ble glaniodd yn 11 oed. Ac mae enw'i or-ŵyr, Ricardo Andres Austin, ar gofeb y Malvinas yn Buenos Aires. Daeth Thomas Awstin yn un o bileri bywyd Cymraeg Cwm Hyfryd, ac mae ei deulu'n dal yno. Dyma Ganolfan Gymraeg newydd Esquel (canol) gydag un o'i gweithwyr Jorge Austin (de).

Cafodd Ricardo Andres Austin (chwith, ac uchod ar ei ffordd i ryfel gyda'i fataliwn) ei ladd ym mrwydr Darwin a Goose Green.
Roedd hi'n ugain mlynedd cyn i'w fam, Celinde (isod) dderbyn yr adroddiad swyddogol am ei farwolaeth.

Tom ac Eileen Roberts o Lanberis a gollodd eu mab, Raymond
ar yr *HMS Ardent*.
(Gwaelod) John Raymond Roberts yn blentyn,
ac yn aelod o'r Llynges.

wedyn y *Gurkhas* a platŵn arall o *Welsh Guards*, pawb yn saethu atyn nhw a rheini'n dal i fynd trw'r cwbwl. Mi welson ni ddarnau'n disgyn i ffwrdd odd'arnyn nhw ac ella bod rhai ohonyn nhw wedi dwad i lawr, ond welson ni mo'nyn nhw.

Wedyn pan oedd y plêns 'ma wedi mynd mi oddan ni'n gweld y mwg mawr 'ma eto ac yn dechra cael gwbod be oedd wedi digwydd. 'Ma'r hogia i gyd ar y llonga a ma nhw wedi cael eu taro,' meddan nhw wrthon ni. A be oedd yn waeth, mi oedd 'na un neu ddau o'n hogia ni oedd efo brodyr ar y *Galahad*. Un hogyn o Lerpwl oedd efo ni, yn y *machinegun platoon* oedd o, mi oedd 'na ddau o'i frodyr o ar y *Galahad*, ond mi oedd y ddau hynny wedi dwad off yn iawn.

Bwriad y Prydeinwyr oedd ennill meddiant o res o fynyddoedd oedd yn amgylchynu Port Stanley, a chlirio llwybrau ar gyfer yr ymosodiad ar y dref ei hun. Cafodd Howard Jones ei drosglwyddo i'r platŵn o *gommandos* oedd i baratoi'r ffordd ar gyfer ymosodiad ar Mount Harriet.

Ein job ni oedd gwneud y *reconnaissance*. Mi gerddon ni o'r chwarel draw at Mount Harriet, a marcio allan start line tua 300 metr o'r lle oeddan ni'n gwbod bod yr Argentine positions cynta. Wedyn pan ddaeth y *Marines* aton ni roeddan ni'n medru deud wrthyn nhw yn union lle i fynd mewn lein syth i fyny'r mynydd, a dangos iddyn nhw lle'r oeddan ni'n gwybod bod yna Argentinians.

Un noson mi oedd y *Marines* wedi mynd i fyny'r mynydd a oeddan ninna 'di cychwyn i fyny, naethon ni aros yn un lle jest am funud, a dyma'r saethu a bob dim yn dechra. Dyma un o'r hogia'n gweiddi 'Hei, mae 'na rywun yn rhedeg amdanon ni yn fa'ma!' A dyma ni'n dechra gofyn i'n gilydd be oedd Halt yn Sbaeneg a doedd neb ohonan ni'n cofio, er bod nhw wedi'n dysgu ni ar y llong ar y ffordd draw. 'Fuckit, watch this,' medda un o'r hogia. 'HALT!' medda fo, a dyma'r boi 'ma'n stopio'n syth a'i freichia i fyny'n yr awyr. Mi oedd o wedi dallt yn iawn. Mi oedd o'n brisoner i ni am y noson a mi oedd o'n rhannu ffags efo ni. Mi oedd gynno fo ddigon o ffags a doedd gynnon ni ddim.

Ar ôl i bob dim setlo a'r *Marines* fynd i fyny'r mynydd mi gerddon ninnau i lawr, a nath yr Argentinians 'ma ddechra saethu aton ni. Mi danion ni tua 7,000 o rownds, rhwng wyth ohonan ni, a nathon nhw ddim saethu eto. Mi aethon ni'n ôl at y rest o'r platŵn. Fel oeddan ni'n setlo lawr i gysgu dyma ni'n cael neges yn deud wrthon ni bod 'na helicopters ar y ffordd i'n pigo ni fyny, bod yr Argentinians wedi rhedeg i ffwrdd a bod isio i ni drio'u dal nhw cyn iddyn nhw setlo lawr eto. A dyma 'na lwyth o helicopters yn dwad i mewn, dwi rioed wedi gweld cymaint ohonyn nhw efo'i gilydd, yn pigo ni gyd i fyny a'n gollwn ni ar y lôn tua dwy filltir o Sapper Hill, y mynydd sy'n edrach i lawr ar Port Stanley. Nathon ni ddechra symud wedyn at Sapper Hill, oddan ni fod i atacio hwnnw, oddach chi'n gweld nhw'n dechra rhedag, ond nath un ne ddau ohonyn nhw ddechra saethu at *front column* ni, ond yn bell o lle o'n i. Gath un ne ddau o'n criw ni 'u lladd yn fan'na. Erbyn i ni gyrradd Sapper Hill mi oedd o gyd drosodd. Mi oedd 'na gyrff yn fan'no, rhai ohonyn nhw mewn mess uffernol. Dwi'n cofio un â'i ben o i ffwrdd, ac eto dim gwaed i'w weld. Ond welais i ddim cymaint o betha felly â lot o'r hogia erill. Erbyn i mi gyrraedd Stanley mi oedd y rhyfel wedi gorffan ers tri diwrnod a'r cyrff wedi cael eu claddu.

Clirio llanast oddi ar strydoedd y dref oedd gwaith y milwyr wedyn. Ar ôl cysgu am ychydig nosweithiau mewn siediau yn Fitzroy, cafodd Howard Jones a'i griw eu symud i dai yn Stanley lle'r oedd Archentwyr wedi bod yn aros, a'r trigolion arferol heb symud yn ôl eto.

Mi fuon ni'n paentio'r tŷ lle'r oeddan ni'n aros. Doedd y system dŵr ddim yn gweithio ond mi oedd 'na un o'n criw ni wedi bod yn gweitho fel plymar a mi drwsiodd o bob dim, wedyn mi oddan ni'n medru cael bath. Mi oedd 'na un o'r peat burning ovens mawr 'na yno, mi oedd hwnnw wedi blocio ond mi fedron ni drwsio hwnnw hefyd. Wedyn mi brynon ni gig oen gan y locals a cael ffidan iawn yn fan'no. Mi oedd y tŷ fatha newydd erbyn i'r bobol symud yn ôl i mewn yna.

Ond y dwrnod dwaetha o'n i yn Stanley, oddan ni wrthi'n cwcio'r hannar oen 'na, a ogla da trw'r lle, ond pan oedd 'na ryw awran arall o waith cwcio arno fo dyma'n boss ni'n dwad i mewn ag yn deud, 'Paciwch eich cit, dan ni'n mynd.' 'Be, ydan ni'n mynd adra?' medda ni. 'Na, dan ni'n mynd i Argentina.' 'Be?' Doedd gynnon ni'm syniad be oedd yn digwydd, ond mynd i esgortio'r prisoners ar eu ffordd adra oddan ni. Dyma ni'n pacio'n stwff i gyd ond oddan ni'n gneud yn siwr bod ni'n cymryd digon o amsar nes bod y cig wedi cwcio'n iawn. O'n i'n cerddad lawr lôn efo rycsac a suitcase a hyn a llall, a hannar leg o lamb yn fy llaw, yn byta hwnnw wrth fynd.

I lawr i'r jeti yn Port Stanley wedyn, ac ar y cwch bach oedd yn mynd â ni allan i'r llong. Hen fferi *British Rail* oedd hi. Ar honno oeddan ni'n mynd â'r *POWs*, mewn be oddan nhw'n alw'n tankdecks, er mai decs ceir oeddan nhw go iawn. Oedd y *conscripts* a'r *ranks* cyffredin i gyd ar y decs yma ond mi oedd yr *officers* yn cael cysgu mewn cabins. Ein job ni oedd gwatsiad ar eu hola nhw, gneud yn siwr bod nhw'n cael eu bwyd, mynd â nhw i gael shower bob dydd a gwatsiad bod nhw ddim yn hogia drwg. Oddan ni'n dal i gario'n gynnau nes aethon nhw odd'ar y llong yn Puerto Madryn.

Yn un lle yn top y llong oedd 'na goridor llydan a cadair tu allan i un drws cabin. Oedd 'na soldiwr yn ista yn y gadair honno trwy'r adag, ar be oddan ni'n galw'n stags, neu stints, dwy awr. Mi wnes i dri neu bedwar stag yn fan'no a mi oedd hi'n amlwg bod 'na rywun pwysig yn y cabin achos mi ddeudodd y bosus wrtha i 'When he comes out don't point a gun at him.' Dyna pryd nes i ddallt mai fan'no oedd General Menendez. Do'n i rioed wedi gweld y boi o'r blaen, ond yn sydyn dyma 'na ddau foi'n dwad allan o'r rwm. Oedd un ohonyn nhw'n gawr, anfarth o foi, a o'n i'n meddwl, 'Esu bach, dim rhyfadd bod hwn yn general.' Wrth 'i ochor o oedd y boi bach 'ma, oedd yn edrach braidd yn sofft i mi. Ond wedyn mi ddois i ddallt mai hwnnw oedd Menendez. Ei *aide* o ne rwbath oedd y boi mawr.

Doedd Howard ddim yn sylweddoli ar y pryd bod Porth Madryn, lle'r oedd y carcharorion yn cael eu danfon, yn rhan o'r Wladfa Gymreig ym Mhatagonia. Ond mae'n dweud iddo ddod ar draws un carcharor ar y llong oedd yn siarad rhywfaint o Gymraeg.

Mi oedd y coridor 'ma rhwng y cabins wedi cael 'i flocio yn y ddau ben, a fi a boi arall yn gardio un bob pen efo machineguns. Mi oeddan ni'n siarad Cymraeg, ac mi ddath yr Argentine officer 'ma allan o'r cabin a deud rwbath yn Gymraeg wrthon ni. Ar y pryd o'n i'n gorfod deud wrtho fo 'Dim ots gyna fi, dos yn d'ôl i'r cabin'. Doeddan ni ddim i fod i siarad efo nhw, dim ond i ddeud wrthyn nhw lle i fynd a beth i'w wneud. Ella na fasa fo ddim wedi medru cael sgwrs efo ni yn Gymraeg ond mi fasa wedi bod yn braf cael gwbod be oedd o'n medru' ddeud.

Rhyw wal yn ganol nunlla oedd lle aethon nhw off y llong yn Puerto Madryn. Dwi'n cofio bod rhai ohonyn nhw'n gwisgo iwnifform *Belgrano*, a capia llongwrs gwyn efo *Belgrano* wedi sgwennu arnyn nhw, ond dwi'm yn gwbod oddan nhw wedi bod ar y llong. Fuon ni ddim yn y lle yn hir, mi oedd rhai ohonyn nhw wedi brifo ac yn mynd yn syth i ambiwlans. Gynta bod nhw i gyd off mi oddan ninna awê yn ôl i Port Stanley. Yn fan'no mi ddaeth gweddill y *regiment* ar y llong a ffwr' â ni i Ascension Island. Mi oedd hi'n ryff ofnadwy yn y South Sea mewn *British Rail Ferry*, ond mi wellodd petha wrth inni fynd yn nes i'r equator. Mi gysgais i am tua pedwar dwrnod.

Ugain mlynedd yn ddiweddarach roedd Howard a'i ffrind Wil Howarth yn ôl yn y Falklands yn cael eu ffilmio ar gyfer 'Y Byd ar Bedwar' gyda Tweli Griffiths. Ac roedd Howard yn falch o'r cyfle hwnnw.

Mi oedd hi'n braf cael gweld y lle eto. Roedd o'n iawn i mi, ond mi o'n i'n teimlo dros Wil, mi oedd Wil ar y *Galahad*. Do'n i ddim yn gwbod sut basa fo'n teimlo wrth fynd i Fitzroy a Bluff Cove a llefydd felly. Ond mi wnaeth o handlo fo'n iawn, yn ôl be welis i, a do, mi wnaethon ni enjoio'n hunain. Pan landion ni efo'r awyren mi oedd Patrick Watts yn aros amdanon ni. Fo oedd y boi hwnnw yn y *Radio Station* pan ddaeth yr Argentinians yno gynta. Fo ddeudodd wrthyn nhw am roid y gwn i lawr, nad oedd o ddim yn mynd i nunlla. A mi oedd hi'n braf cael gweld y bobol yn Port Stanley, a'u gweld nhw mor hapus. A deud y gwir nathon ni ddim gwario dim byd tra oeddan ni yno.

Oddan ni'n gweld sgidiau, neu pumps tenau rhai o'r *Argentinian conscripts* 'ma'n dal yno ar yr ynys, yn sownd yn y ddaear. Oedd hi'n oer ofnadwy yno iddyn nhw. Mi oddan ni wedi cael ein paratoi trwy'r blynyddoedd, o'n i wedi bod yn yr Armi am saith mlynedd erbyn yr adag honno, a wedi cael trening mewn llefydd poeth fel Kenya a llefydd oer yn y Baltic, lle oedd y gwynt yn dwad i mewn o bob ochor, a glaw ac eira ac oerni trwy'r adag. Oedd y trening hwnnw'n dysgu chi sut i gadw'ch hun yn fyw a gneud yn siwr bod chi ddim yn cael hypothermia a hyn a llall.

101

Ond oedd hi'n werth mynd i ryfel dros yr ynysoedd? Mae
Howard yn meddwl cyn ateb.

Mae'r bobol ar yr ynys yn deud oedd, mi oedd o werth o.
Ond wrth feddwl am y ffrindia wnes i golli, nagoedd doedd
o ddim. Dwi wedi colli lot o fy ffrindia ar y *Galahad* a hyn a
llall. Nagoedd. Fasa wedi bod yn hawddach a wedi costio
llai i afael yn pawb a symud nhw yn ôl i wlad yma a gadal
iddyn nhw fyw yma. OK, maen nhw'n teimlo'n wahanol
wrth gwrs, draw fan'na ma'u gwlad nhw.
Chafodd bod yn rhyfel y Falklands ddim llawar o effaith
arna i – er bod y wraig yn deud yn wahanol. Am tua chwe
mis o'n i'n methu setlo lawr a methu cysgu. Yn y bora mi
fasa musus yn cysgu lawr grisia, a finna'n gofyn be oedd
matar. 'Oddat ti wrthi eto neithiwr, yn troi a throsi ag yn
hitio'r pilow,' medda hi. Dwi'm yn cofio dim byd wrth gwrs,
o'n i'n cysgu. Ond ar ôl tua chwe mis mi wellodd hynny.
Yr unig beth arall ddigwyddodd, mi gollais i deimlad yn fy
mysadd, achos bod yr oerni wedi 'ffeithio arnyn nhw. Do'n i
ddim yn medru codi ceiniog odd'ar y bwrdd. Am tua chwe
mis oedd hynny hefyd, wedyn mi ddaeth y teimlad yn ôl.
Ond dwi'n dal i stryglo pan mae hi'n dywydd oer. Dim ond
unwaith bob mis ydw i'n mynd i bysgota yn y gaea rwan, o
achos hynny. Ond dwi'n pysgota bob diwrnod yn yr ha'.

8. CARLOS EDUARDO AP IWAN, TRELEW

Roeddwn i wedi edrych droeon trwy restr swyddogol o enwau'r cyn-filwyr Archentaidd oedd wedi gwasanaethu yn y Malvinas, yn chwilio am enwau oedd yn swnio'n Gymraeg, ac wedi colli'r enw Carlos Eduardo Apiwan. Fe gymerodd lygad craff un o drigolion y Gaiman i sylwi arno, ac i sylweddoli mai'r 'ap' a'r 'Iwan' oedd wedi mynd yn sownd rywle trwy'r cenedlaethau. Roedd Carlos Eduardo yn cael ei restru o dan ardal Trelew. Ond pwy oedd o? Oedd o'n ddisgynnydd i Llwyd ap Iwan, mab Michael D.Jones? Oedd o'n siarad Cymraeg? Yn y Gaiman, os byddwch chi mewn penbleth sy'n ymwneud â'r bywyd Cymraeg, y cyngor fel arfer ydi 'Gofynnwch i Luned!'

Daeth ym amlwg fod gan Luned Gonzales, cyn-brifathrawes egnïol a matriarch Cymreictod y Wladfa, dipyn o anian ditectif. Fel wyres i Llwyd ap Iwan, roedd hi'n gwybod nad oedd yr ap Iwan yr oedden ni ar ei drywydd yn perthyn i'r llinach honno. Ond fe wyddai am weinidog oedd wedi ymfudo o Gymru i'r Wladfa ac wedi dilyn esiampl Michael D.Jones, trwy Gymreigio cyfenwau ei blant o Jones i ap Iwan. Roedd hi'n sicr mai un o ddisgynyddion y Jones hwnnw oedd Carlos Eduardo. Ddwy neu dair galwad ffôn yn ddiweddarach roedd Luned y ditectif wedi sefydlu mai plismon oedd Señor Apiwan hefyd.

Dyma hi wedyn yn dechrau ffonio gorsafoedd heddlu Trelew, ac mae 'na dipyn o'r rheini mewn dinas o gan mil o bobl. Mewn dim o dro roedd hi wedi cael gafael ar yr orsaf iawn, ac wedi cael rhif ffôn cartref y Cwnstabl Apiwan, oedd ddim yn gweithio y pnawn hwnnw. Roeddwn i'n dal yn amheus a fyddai modd darbwyllo plismon i siarad am ryfel yr oedd wedi bod drwyddo ugain mlynedd ynghynt, efo dieithryn o Hen Wlad oedd hefyd yn wlad y 'gelyn'. 'All o ddim ond dweud Na,' meddai Luned wrth godi'r ffôn. Ond wnaeth o ddim. Nid yn unig roedd o'n fodlon siarad, mi gynigiodd ddod draw i'n cyfarfod yn nhŷ Luned yn y Gaiman, er mwyn arbed siwrnai i ni.

Ond chyrhaeddodd o ddim ar yr amser penodedig. Hanner awr arall a doedd dim sôn amdano. Oedd o wedi colli ei ffordd, wedi anghofio, wedi newid ei feddwl, neu wedi cael cyngor gan ei benaethiaid i beidio â sôn am y rhyfel? Doedd neb yn ateb y ffôn yn ei gartref, ac ar ôl rhyw awr es innau yn ôl yn siomedig i fy ngwesty. Roedd fy nyddiau yn y Gaiman yn dirwyn i ben, a go brin y byddai ail gyfle.

Ond dydi Luned ddim yn un i roi'r ffidil yn y to. Ffoniodd fy ngwesty i ddweud ei bod wedi cael gafael ar Señor Apiwan, ac wedi cael eglurhad. Roedd yn aelod o sgwad gyffuriau'r heddlu yn Nhrelew, ac wedi cael galwad frys y pnawn hwnnw i Borth Madryn ar ryw berwyl yn ymwneud â'i waith. Mae Madryn yn awr o daith o Drelew, a newydd gyrraedd yn ôl oedd o, ond roedd croeso inni fynd draw i'w dŷ. Plismon o'r enw ap Iwan yn teithio o Drelew i Borth Madryn ar drywydd cyffuriau 137 o flynyddoedd wedi'r *Mimosa*... rhyfedd o fyd.

O'r diwedd felly roedd Luned a finnau'n teithio yn ei char hi trwy rwydwaith hir o strydoedd cefn Trelew, nes cyrraedd tŷ gyda giât uchel o'i flaen. Daeth y plismon i'r drws gyda gwên groesawgar, ond cyn ein gadael i mewn roedd rhaid iddo dywys dau fleiddgi digon milain i rywle allan o'n gafael.

Doedd ganddo ddim Cymraeg, a finnau ddim Sbaeneg, ond roedd Luned yn ei helfen yn cyfieithu. Esboniodd fod ei wraig yn cadw siop gwerthu tipyn o bopeth mewn stryd gyfagos, ac yn agor tan yn hwyr y nos i gael arian i wella'r tŷ. Roedd ganddyn nhw bedwar o blant, a chawsom gyfarfod y ddau leiaf, Alexa oedd yn wyth oed a Jimena oedd yn ugain mis. Roedden nhw fel eu tad o bryd tywyll ac unrhyw arlliw corfforol o'r llinach Gymreig wedi hen ddiflannu. Wedi ei fframio ar y wal roedd tystysgrif yn cydnabod ei wasanaeth yn rhyfel y Malvinas.

Dwi'n gwybod dim byd am deulu fy nhad yng Nghymru, dim ond i rai ohonyn nhw gyrraedd yma ar y llong. Dwi'n gwybod wrth gwrs bod fy nghyfenw i'n dod o Gymru. Mae 'na sôn bod un ewythr i fy nhad wedi cael ei eni ar y llong ar y ffordd draw.

Mi oedd fy nheulu i'n gant y cant Cymraeg ar ochor fy nhad, ac yn gant y cant Sbaenaidd ar ochor fy mam. Hughes oedd cyfenw fy nain cyn iddi briodi a dod yn ap Iwan. Roedd gen i ewythr o'r enw Edward ap Iwan. Ar ôl hwnnw y cefais i'r enw Eduard. Mi ges i fy ngeni yn Nolavon a mynd i'r ysgol gynradd yno. Fues i ddim yn yr ysgol uwchradd, achos dim ond un breifat oedd 'na yn yr ardal. Felly ar ôl gadael yr ysgol mi es i helpu fy nhad adre ar y ffarm. Yno bues i nes imi gael fy ngalw i wneud fy ngwasanaeth milwrol.

Mae fy nhad a mam yn dal i fyw yn Nolavon. Dydyn nhw ddim yn byw ar y ffarm bellach ond mae 'nhad yn dal i fynd yno yn ôl a blaen. Mae o'n 72 oed. Dydi o ddim yn siarad Cymraeg erbyn hyn ond mi oedd o pan oedd o'n ifanc. Mi fydda fo'n siarad Cymraeg efo'i fam, ond unwaith y buo hi farw wnaeth o ddim siarad Cymraeg wedyn. Mi oedd fy modrybedd, oedd yn Hughes, i gyd yn siarad Cymraeg.

Un deg naw ac un diwrnod oed oeddwn i pan ddechreuodd rhyfel y Malvinas. Mae fy mhenblwydd i ar Ebrill y cynta ac mi ddechreuodd y rhyfel ar Ebrill yr ail, 1982. Bedwar mis cyn hynny roeddwn i wedi dechrau ar fy ngwasanaeth milwrol. Roeddwn i'n aelod o *Gatrawd 8* yn Comodoro Rivadavia.

Pan ddwedon nhw wrthon ni ein bod ni'n mynd i ryfel yn y Malvinas roedd pawb wrth eu bodd. Roedd 'na ryw orfoledd mawr, achos ein bod ni wedi clywed ers pan oeddan ni yn yr ysgol gynradd sut oedd yr ynysoedd wedi cael eu dwyn oddi arnon ni. Ond mi newidiodd bob dim ar ôl inni gyrraedd yno. Roedd y tywydd a phopeth yn ein herbyn ni. Roedden ni'n cyrraedd Puerto Argentino mewn awyren Hercules filwrol ar y pedwerydd o Ebrill, yn y bore.

Doeddwn i erioed wedi meddwl llawer am am y ffaith 'mod i o dras Gymraeg. Ond mi oedd fy ffrindia'n tynnu 'nghoes i adeg y rhyfel. 'Mae gen ti enw Cymraeg,' medden nhw, 'Fydd 'na ddim byd yn digwydd i ti!'

Ro'n i'n gyfrifol am uned oedd yn gwylio'r arfordir, rhag ofn y byddai milwyr Prydeinig yn glanio. Roedden ni'n cael negeseuon o hyd, bod yna laniad i ddigwydd fan hyn neu fan acw, felly roedden ni'n cael ein symud yn aml o le i le. O leia doedden ni ddim yn gorfod cysgu mewn tyllau yn y ddaear, yr un fath â'r milwyr oedd yn sefydlog mewn un lle. Roedden ni'n cysgu mewn pebyll, pebyll y fyddin.

Roedd y tywydd yn oer iawn; un diwrnod mi oedd hi'n bwrw eira ac yn rhewi. Dillad cyffredin y fyddin oedd ganddon ni, dim byd ar gyfer y tywydd oer, ac esgidiau rwber cyffredin am fod cymaint o ddŵr yn y ddaear yn agos at yr wyneb. Yn y dillad hynny oedden ni am y tri mis. Os oedden ni'n gwlychu roedden ni'n trio sychu'r dillad am ein cyrff yn y babell, a hynny'n digwydd yn barhaol. Doedden ni ddim yn cael hanner digon o fwyd chwaith.

Dim ond o bellter oedden ni'n gweld y bobol oedd yn byw ar yr ynys. Ond doedd yna ddim helynt o gwbl. Roedden nhw i'w gweld yn bobol gwrtais iawn.

Rhyw grwydro o gwmpas Puerto Argentino oedden ni fwya, ond mi fydden ni'n cael ein symud weithiau i ardaloedd eraill lle byddai'r ymladd yn digwydd. Mi oedden ni'n saethu atyn nhw, a nhw'n saethu aton ni, yn ddi-stop bob diwrnod. Am ddau fis roedden ni hefyd yn cael ymosodiadau o'r llongau ac o awyrennau a hofrenyddion. Mi gollodd un o fy ffrindia gorau fi ei fywyd. Roeddwn i'n rhannu pabell efo fo pan oeddan ni'n cael ein hyfforddi yn Comodoro. Doedd 'na ddim un diwrnod yn mynd heibio nad oedd yna saethu, dim un diwrnod o heddwch. Roedden ni'n teimlo'n bod ni rywle yn y canol rhwng byw a marw. Felly roedd pethau o'r pedwerydd o Ebrill tan i mi gael fy nghymryd yn garcharor. Mi ddigwyddodd hynny yn Bahia Falk, Puerto Riveros, ar ddiwedd yr ymladd. Mae 'na lawer o bethau nad ydw i ddim yn eu cofio, roedden nhw'n brofiadau mor gryf.

Pan gawson ni'n cymryd yn garcharorion mi arhoson ni ar yr ynys am un noson arall. Tan y foment honno doedden ni ddim fel tasen ni'n deall yn iawn beth oedd yn digwydd. Wedyn mi symudon nhw ni oddi yno mewn hofrennydd, a mynd â ni at long. Yr adeg honno y cafodd y cadoediad ei arwyddo, ond doedden ni'n gwybod dim byd amdano fo tan ychydig oriau ynghynt. Tan hynny roedden ni'n credu mai ni oedd yn ennill y rhyfel. Dyna'r neges oedd ein swyddogion yn ei rhoi i ni, bod pob dim o dan reolaeth. Felly roedd hi'n gymaint o sioc pan glywson ni nad oedd hynny'n wir.

Mi oedden ni'n cael ein trin yn iawn fel carcharorion. Wnaeth neb ymosod arnon ni'n gorfforol o gwbl, o leia ddim yn y rhan lle'r oeddwn i. Yr unig beth oedd yn codi arswyd arnon ni oedd bod o flaen pobol ddierth yn siarad iaith arall a ninnau'n deall yr un gair.

Doedd ganddon ni ddim syniad i lle'r oedden ni'n mynd, ond pan oedden ni ar y cwch bach oedd yn mynd â ni allan i'r llong mi ddaeth milwr Prydeinig oedd yn siarad Sbaeneg atom a dweud bod yr heddwch wedi ei arwyddo a'n bod ni'n mynd yn ôl adre i Ariannin. Mi gawson ni'n trosglwyddo i long, dwi'n credu mai *Norland* oedd ei henw hi, ac mi gyrhaeddon ni Borth Madryn un bore. Doedd ganddon ni ddim syniad ar y fordaith faint o'r gloch oedd hi. Roedden ni'n cael ein cau mewn cabanau, dau neu dri ym mhob caban a ddim yn cael mynd allan heblaw i fynd i'r toilet. Mi oeddan nhw'n dod â bwyd inni yn y cabanau.

Mae rhai o'r bechgyn wedi diodde'n ofnadwy ar ôl y profiad. Yn bersonol, diolch i Dduw, wnes i ddim diodde llawer. Am tua'r tri mis cynta ar ôl dod adre doeddwn i ddim yn gallu dadflino'n iawn achos 'mod i'n dal i deimlo'r braw. Ers hynny dwi'n credu 'mod i wedi bod yn iawn, yn gorfforol ac yn feddyliol.

Mi gadwon nhw fi yn y fyddin am ddau fis ar ôl y rhyfel, ond doeddwn i ddim yn gwneud llawer o waith. Roedden nhw eisiau i'r meddygon ein trin ni a gwneud yn siwr ein bod ni mewn cyflwr da. Ar ôl hynny mi fum i'n gweithio mewn ffatri, a wedyn yn gwneud gwaith adeiladu, nes imi fynd ar gwrs ar gyfer ymuno â'r heddlu. Mi ddigwyddodd hynny pan oeddwn i'n 24 oed.

Dwi'n gwybod am un bachgen o dras Gymreig gafodd ei ladd yn y rhyfel. Mi o'n i wedi dod i nabod Andres Austin cyn y rhyfel. Un o'r Andes oedd o ond mi ddaeth i weithio am ychydig yn Nhrelew, mewn gorsaf betrol dwi'n meddwl. Mi ddaethon i adnabod ein gilydd trwy fachgen arall oedd yn ffrind i'r ddau ohonon ni. Roedd Andres yn 18 oed ar y pryd a finnau'n 17. Mi fydden ni'n mynd i ddawnsfeydd efo'n gilydd. Roedd o'n fachgen tawel ac yn gwmni da iawn. Doedd y ffaith ein bod ni'n dau o waed Cymreig ddim yn rhywbeth y bydden ni'n dau'n sôn llawer amdano, roedd o'n beth naturiol i ni, a ninnau wedi byw efo fo ar hyd ein hoes. Ond mi fydda rhai pobol eraill yn tynnu coes ar ôl gweld bod ganddon ni'n dau enwau Cymraeg, Apiwan ac Austin. Mae hynny'n beth cyffredin ym Mhatagonia, pobol sydd heb waed Cymreig eu hunain yn cael hwyl am ben rhai sydd efo gwaed Cymreig.

Mi aeth Andres i'r fyddin flwyddyn o fy mlaen i. Roedd o yn nosbarth 62 a finnau yn nosbarth 63. Doeddwn i ddim yn gwybod ar y pryd ei fod o yn y Malvinas o gwbwl. Mi oedd hi'n dipyn o amser ar ôl i mi gyrraedd adre pan glywais i nad oedd Awstin ddim wedi dod yn ôl.

Sut ydw i'n teimlo am yr holl fusnes erbyn hyn? Wedi fy nhwyllo! Yr unig beth fuaswn i'n ei ddymuno ydi na wneith hyn ddim digwydd byth eto yn y modd yna, ddim i fy meibion, nac i 'mrodyr nac i neb. Roedd o'n brofiad mor ofnadwy, a llawer o ddiodde i ddim byd.

9. WIL HOWARTH, AMLWCH

Mae 'na dacsi mawr coch yn sgleinio o flaen y tŷ yn Llanfairfechan, efo'r enw *Wil Go Cabs* ar ei ochr. Mae'n bnawn Sul heulog, yr unig ddiwrnod o'r wythnos pan nad ydi Wil Howarth wrth y llyw. Ond os ydi'r tacsi'n segur dydi'r perchennog ddim – mae'n brysur yn cymysgu sment i wneud llwybrau yn yr ardd gefn. Fedr o ddim bod yn llonydd am funud, medda fo. Ar ôl bod yn filwr am fwy nag ugain mlynedd mae'n gas ganddo fod yn ddigon segur i hel meddyliau.

Yn haf 2002 y gadawodd Wil Howarth y Fyddin. Erbyn hynny roedd o'n Sarjant, yn gweithio yn y swyddfa recriwtio ym Mangor. Ar ddiwedd y cyfnod aeth ar gwrs i ddysgu sut i redeg ei fusnes ei hun. Y canlyniad ydi *Wil Go Cabs*. Mi ddois innau i'w adnabod yn 2002, wrth baratoi ar gyfer rhaglen criw 'Y Byd ar Bedwar' i goffáu ugain mlynedd ers rhyfel y Falklands.

Flwyddyn yn ddiweddarach dyma fi'n ei gyfarfod unwaith eto yn Llanfairfechan. Wedi i Wil orffen digon o lwybr i ddefnyddio'r sment i gyd, roedden ni yn ôl yn yr un dafarn â'r flwyddyn cynt, a finnau'n holi'r un cwestiynau am yr un profiadau. Roedd yn well gan Wil sefyll wrth y bar nag eistedd yn llonydd. Ond unwaith eto fe ddywedodd ei stori'n ddi-lol a di-emosiwn, a chyda chryn dipyn o hiwmor. Mae angen hwnnw arnoch chi, ar ôl bod trwy uffern y *Sir Galahad*.

Mi ges i fy magu ym Mhorth Amlwch ar Ynys Môn. Mi adawais i'r ysgol yn gynt nag o'n i fod i wneud, ac mi aeth

110

popeth i lawr allt ar ôl hynny. Gweithio i ddechrau efo'r cownsil, yn gwneud llwybrau a phetha felly, ond do'n i ddim yn gweld llawer o ddyfodol yn fan'no, felly mi es i weithio efo cwmni plastics yn Amlwch. Ond mi oedd yr oriau a'r tâl yn annifyr, a dyma un o'r hogia'n deud, 'Beth am inni fynd i lawr i Sir Benfro i weithio ar y refineries?' 'Iawn,' medda fi, ac i lawr â ni, wyth ohonon ni i gyd. Mi oedd y pres yn dda yn fan'no, tua dau neu dri chant yr wythnos, a hynny yn 1979. Ond mi oedd hogia *Wimpeys* a *McAlpines* i gyd yn mynd ar streic am y rheswm lleia. Achos bod y pres mor dda mi oeddan nhw'n medru mynd ar streic a dal i fforddio i fynd ar y pop. Wedyn dyma fi'n dechrau meddwl beth oeddwn i isio'i wneud efo fy mywyd a dyma benderfynu hitch heicio i Abertawe ac i swyddfa gyrfaoedd y fyddin.

Pan oeddan ni'n gorfod cymryd llw i'r Frenhines mi ddeudais 'mod i isio fo yn Gymraeg. A mi ges fynd i mewn i'r Gwarchodlu Cymreig, yn 21 oed. Doedd o ddim yn lle hawdd yn y dechra – mi oedd o'n lle ryff uffernol, a llawer o fwlio'n digwydd.

Wrth ymuno â'r Fyddin roedd Wil Howarth yn dilyn traddodiad ei deulu. Roedd ei dad a'i hen ewythr wedi ennill anrhydeddau militaraidd.

Mi oedd y rhan fwya o'r swyddogion wedi bod yn Eton, *Harrow, Oxford* a *Cambridge* a llefydd felly. A dyma un ohonyn nhw'n gofyn i mi un diwrnod pwy oedd y ddau ddyn yn y lluniau o'n i wedi eu sticio ar fy locar. 'Hwnna ydi brawd fy nain,' medda fi. 'Mi gafodd o'r VC, DSO a Bar a'r Medal Militaire yn y rhyfel byd cynta. Hwnna o dano fo ydi Nhad, mi gafodd o MM a Mentioned in Despatches am ddengyd o garchar Japanese yn yr ail ryfel byd.' 'Erbyn fory,' medda'r swyddog 'ma, 'dwi isio iti ffendio allan pwy oedd fy nhaid i.' Dyma fi'n troi rownd ac yn deud 'Os wyt ti ddim yn gwbod, sut uffar ydw i fod i ffendio allan?' Mi ges i dipyn o helynt am hynny.

Yn Chwefror 1981 yr ymunodd Wil â'r Gatrawd. Ar ddiwedd y flwyddyn honno fe dreuliodd bedwar mis yn Kenya, ac yn gynnar y flwyddyn wedyn dechreuodd y sôn bod yna helynt yn corddi yn rhyw le o'r enw Ynysoedd y Falklands. Cafodd Wil a'i griw eu hanfon i Aberhonddu i baratoi at ryfel. Roedden nhw'n ymarfer yn galed, gyda chatrawdau eraill, ym Mannau Brycheiniog. Ond cyn mynd i'r Falklands roedd yn rhaid mynd i Gaerfyrddin, i dderbyn rhyddfraint y dre.

Welais ti ddim criw o hogia mor ddigalon yn dy fywyd. Do'n i ddim isio mynd i ryfel, er mai ar gyfer hynny roedd rhywun yn cael ei drenio. Ond os mai i ryfel oddan ni'n gorfod mynd, doedd neb ohonon ni isio bod yn martsio yn fa'ma a rhyw gynghorydd yn cymryd saliwt wrth inni fynd heibio.

Diwedd y trening, a dyma fynd â ni i gyd i Southampton ac ar y *QE2*, oedd yn anferth o long. Pwy ddaeth ar y llong efo ni ond Erica Roe, oedd newydd ddod i sylw fel y streaker yn y gêm rygbi honno yn Twickenham. Mi oedd yr hogia'n gobeithio basa hi'n dwad efo ni i'r Falklands o achos ei boms!

Mi welais i ddau foi o'n i'n nabod ar y *QE2*. Freddie oddan ni'n galw un, am ei fod o'n debyg i Freddie Star. Boi o Amlwch, JP, oedd y llall, a mi oedd y ddau'n gweithio ar y llong. Mi oedd hynny'n beth da, achos mi oeddan ni i gyd ar 'two can rule' – dim ond dau gan bach o gwrw oeddan ni fod i gael bob diwrnod. Ond am 'mod i'n nabod y ddau foi yma o'r criw mi oeddan nhw'n edrach ar f'ôl i.

Er bod nhw wedi newid rhywfaint ar y llong, fel troi dec y pwll nofio yn lle i helicopters landio, mi oedd y rhan fwya ohoni'n union 'r un fath ag oedd hi cynt pan fydda hi'n cario pobol ar cruise. Mi oedd y siopa'n agorad a'r hogia wedi gweld y cameras a'r lighters 'ma, a pob math o betha'n cael eu dwyn! Mi oedd y bwyd ar y dechra'r un fath â beth oeddan nhw'n gael ar cruise. Ond mi oeddan ni wedi byta bob dim yn y gegin ar ôl wythnos, wedyn mi oeddan ni yn ôl ar sosej a chips.

Tua pythefnos ar ôl inni gychwyn allan mi dorrodd un o'r turbines, a mi oedd rhaid inni stopio. Doedd neb yn hapus efo hyn – y peth mwya annifyr i soldiwrs ydi bod ar long, maen nhw wedi cael eu paratoi ar gyfer bod ar y lan. Mi oedd 'na straeon y byddan ni'n gorfod troi'n ôl. Ond mi lwyddon nhw i drwsio'r llong a ffwrdd â ni eto, dros yr equator. Mi stopion ni yn Freetown, Sierra Leone, mi oedd hi'n berwi o boeth yn fan'no. Mae'r QE2 tua tri neu bedwar llawr o uchdwr a mi oedd yr hogia'n taflu tomatos i lawr i'r plant. Mi oedd rheini'n eu dal nhw ac yn meddwl mai orenjis oeddan nhw. Mi oedd 'na bob math o ryw driciau felly'n cael eu gwneud.

Ar ôl hynny mi oedd y tywydd yn newid ac yn newid. Mi gawson ni'n symud o'r QE2 i'r Canberra, hen long wedi rhydu ac yn edrach fel tasa hi am ddisgyn yn ddarna. Yn Grytviken, South Georgia mi welson ni helicopter oedd wedi cael ei saethu i lawr, submarine wedi'i dryllio ar y cei, a corvette efo tylla ynddi hi. Dwi'n cofio meddwl adag hynny, 'Dyna ni rwan, mae'r cachu wedi dechra'.

Ar gyfer rhan ola'r daith fe gafodd y milwyr eu trosglwyddo o'r Canberra i tug o'r enw Typhoon. Glaniodd Wil Howarth a'i griw ym Mae San Carlos ar Ddwyrain Falkland, a chael gorchymyn i symud i le o'r enw Bomb Alley, oedd ddim yn swnio'n addawol.

O leia mi oeddan ni ar y tir, ac yn teimlo'n saff. Soldiwrs oeddan ni, nid llongwrs. Y peth cynta oeddan ni'n gorfod 'wneud oedd torri ffosydd yn y tir gwlyb i fyw ynddyn nhw. Roedd y rheini'n llenwi'n syth efo dŵr fel oeddan nhw'n cael eu hagor. Mi oeddan ni yno am ddau ddiwrnod ac un nos, cyn dechrau symud eto. Mi oedd y Paras wedi symud yn barod, i wneud Goose Green a Darwin, a ninnau'n gorfod mynd rownd ffordd arall. Y syniad oedd y basan ni'n martsio trwy'r nos i Bluff Cove, yn ymyl Stanley. Mi oedd y tir yn wlyb ac yn lle uffernol i gerdded, yn llawn o beth oeddan ni'n alw'n 'bennau babis'. Roedd rheini fel tufts crwn, os oeddat ti'n sefyll arnyn nhw efo pwysau ar dy gefn mi oedd dy goes di'n plygu. Mi ddigwyddodd hynny i lawer o'r hogia. Roeddan ni'n cario 10 i 13 stôn ar ein cefnau wrth gerdded, a tasa ti'n trio mynd i fyny'r gelltydd ar y mynyddoedd 'ma heb ddim byd ar dy gefn mi fydda hynny'n ddigon o job. Wedyn, bob tro mae un hogyn yn disgyn mae'n cymryd dau i edrach ar ei ôl o. Mi oedd llawer ohonon ni'n diodda o trench foot, rwbath o'n i'n meddwl oedd yn perthyn i'r rhyfel byd cynta. Yn y diwedd mi benderfynon nhw na fedran ni ddim cerdded ddim pellach, roedd hi'n rhy beryg.

Mi oedd hi'n iawn i'r *Paras*, be wnaethon nhw oedd tynnu'r gêr trwm a'i roi o ar y choppers a mynd yn eu blaenau. Ond mi oeddan ni'n gorfod cario popeth ein hunain, doedd 'na ddim choppers i'w cael. Ar ôl y rhyfel mi sgwennodd Max Hastings lyfr lle mae o'n dweud nad oedd bois y Gwarchodlu Cymreig ddim mor ffit â'r *Paras*. Ond yn y flwyddyn cynt roeddan ni wedi curo y cwbwl o'r Armi yn y rygbi, oeddan ni wedi curo'r *Paras* yn y *Super Platoon* yn Berlin ac wedi curo pawb yn yr athletics. A'r pen rwdan yma'n troi rownd a deud bod ni ddim yn ffit!

Ond, mi benderfynon nhw y basan ni'n troi'n ôl, a'u bod nhw am fynd â ni rownd efo llong. O gwmpas yr amser yna mi welson ni hogia'r *SAS*, neu'r 'Hereford Hooligans' fel byddan ni'n eu galw nhw – lle bynnag maen nhw'n mynd mae 'na rywbeth yn cael ei chwalu. Mi oeddan nhw newydd 'wneud' Pebble Island. Roeddan nhw'n gwisgo capia ffwtbol, a ninna efo'r gêr i gyd. Dydio ddim ots gan rheini, maen nhw'n gwneud eu petha eu hunain.

Dyma ni'n mynd ar y llong *Sir Galahad* rwan o San Carlos

i be 'ma pawb yn ei nabod fel Bluff Cove neu Port Fitzroy, er mai Port Pleasant ydi'i enw iawn o. Mi oedd *HMS Glasgow* yn mynd efo ni fel cover, hen long solid er bod 'na un twll ynddi'n barod lle oedd bom wedi mynd trwyddi. Trwy'r nos pan gaethon ni yno mi oedd *Platoon Company*, a'r *Anti-tanks* a hyn a llall yn cael eu dadlwytho, ond hanner ffordd trwodd, am ryw reswm, mi oedd popeth wedi stopio, doedd dim byd yn symud, a mi oedd yr hogia'n dechrau poeni.

Y diwrnod wedyn mi es i fyny ar y dec i gael smôc, a sbio o 'nghwmpas. Mi oedd 'na fynydd ar y lan, ac os wyt ti'n medru gweld mynydd mae'r mynydd yn dy weld ti. Os oedd yna FACs – *Forward Air Controllers* – dyna lle basan nhw yn cadw'r Observation Post, lle basa ganddyn nhw'r fantais orau i weld be oedd yn digwydd ac i ddwad â'r plêns i mewn. Wedyn dyma fi'n edrych lle'r oedd *HMS Glasgow*, a doedd hi ddim yno. Mi oedd gan honno air defence system modern, ond mi oedd hi wedi mynd. Ac mi o'n i'n gwbod bod y *Galahad* yn hen long. Mi oedd y gynnau'n hen ffasiwn ac i gyd yn gweithio oddi ar yr injan, tasa'r injan yn cael ei chwalu doedd y gynnau ddim yn gweithio.

Mi oedd hi'n ddiwrnod braf a'r haul yn tywynnu – mi fedri di gael y pedwar tymor mewn un dydd yn y llefydd yma. Efo fi mi oedd un o'n ffrindia, Mark Eames o Fangor. Mae 'na atal deud ar Mark. Dyma fo'n sbio arna i a finna arno fynta. 'F-f-fucking sitting ducks,' medda fo a doedd 'na ddim byd mwy gwir. Chwadan oedden ni te, yn y dŵr yn fan'no.

Yn y cyfamser roedd y milwyr yn clywed dadl ffyrnig rhwng dau swyddog ynglŷn â'r hyn y dylid ei wneud nesaf: symud y dynion oddi ar y llong, neu symud yr offer. Yn ôl Wil fe barhaodd y taeru am dair neu bedair awr heb i benderfyniad gael ei wneud. Yn y diwedd fe ddywedodd un swyddog wrth y llall mai hwnnw fyddai ar fai petai rhywbeth yn digwydd i'r bechgyn.

Tua tri neu bedwar o'r gloch pnawn dyma ni'n clywed 'Air Raid Warning Red' – yr un mwyaf seriws. False alarm oedd hwnnw. Mi es i lawr i'r dec arall a dyma'r sgrechian 'ma'n dechra eto, a'r Mirages a'r Skyhawks a phob math o betha'n dwad drosodd. A'r peth nesa, mi oedd y llong wedi'i chael hi yn y stern. Mi oeddan ni'n dadlwytho paleti o ammunition ar y pryd a dyma fom i ganol hwnnw nes bod rownds bwledi a bob peth yn mynd i ffwrdd a'r lle fel psychedelic fireworks. Mi oedd 'na forklift o mlaen i a dyna hwnnw'n fy nharo fi yn fy mrest a nghnocio fi allan. Pan ddois i ata fy hun roedd o fel bod tu mewn i dun beans a hwnnw'n cael ei wasgu. Wedyn mi glywais i lais fy ffrind Mark Eames yn gweiddi 'W-w-w-wil ...' Mi oedd y glec wedi gneud ei atal o'n waeth, ond trio deud oedd o bod rhyw hogyn wedi torri'i goes neu rywbeth. Un munud mi oedd hi'n olau a'r munud arall mi oedd hi'n dywyll, a fedrwn i mo'u gweld nhw. Mi o'n i'n poeni am yr *engineers* oedd efo ni, achos mi oeddan nhw'n cario explosives ac yn cysgu efo nhw er mwyn eu cadw nhw'n stable. Tasa rheini'n mynd off tu ôl inni mi fasa hi ar ben. Ond diolch i Dduw, mi oedd rheini i gyd wedi llwyddo i ddengid odd'ar y llong. Yn y diwedd mi wnes i ffendio Mark a'r boi 'ma, Steve Brennan oedd ei enw fo, doedd o ddim wedi torri'i goes, mewn sioc oedd o. Felly dyma fi'n deud wrth Mark 'Dyro fo ar dy ysgwydd a dos â fo allan.' Mi oedd Mark wedi mynd rwan, a finna ar fy mhenaglinia ar y llawr yn chwilio am bobol, wyddwn i ddim oedd 'na rywun yn fyw neu'n farw o 'nghwmpas i. Ond ar ôl i Mark fynd mi oedd rhywun wedi cau'r drws ar eu holau a fedrwn i ddim mynd allan, mi o'n i'n meddwl bod y diwadd wedi dwad. Ond trwy lwc mi agorodd rhywun y drws, ac i fyny â fi.

Mi oedd 'na lanast ofnadwy ar y dec. Do'n i'n teimlo dim poen, mi oedd popeth yn surreal. Fel slow motion. Breichiau a choesau ym mhob man. Cyrff yn llosgi. Mi oedd hi mor boeth yno nes bod y llong yn cochi ac yn dechrau plygu fel tonnau. Mi oedd rhai o'r hogia'n neidio dros yr ochor er mwyn trio cael i'r cychod, y rhan fwya ohonyn nhw wedi llosgi, ac yn mynd i'r dŵr oedd yn minus five neu minus ten. Os na fasa'r llosgi'n eu lladd nhw mi fasan nhw mewn hypothermia o fewn dwy funud. A wedyn mi oedd y choppers yn dwad i mewn ac yn trio chwythu'r cychod oddi wrth din y llong efo'r blades. Mi oedd peilots y choppers 'ma'n ddewr uffernol.

Mi welais i Simon Weston yn cael ei godi odd'ar y dec yn gwisgo dim byd ond 'i drôns ac mewn cymaint o boen nes bod o'n gweiddi 'Somebody shoot me!' tua tair gwaith. Mi fydda i'n tynnu'i goes o rwan ac yn deud tasa fo wedi deud hynny unwaith eto, mi faswn i wedi'i saethu fo!

Mi fuos i'n helpu rhai o'r hogia oedd wedi brifo, rhoi morffin i rai ohonyn nhw a hyn a llall, a rhoi rhif ar eu talcen nhw i ddeud pryd oeddan nhw wedi'i gael o. A wedyn mi oedd y choppers yn dwad i nôl y gweddill ohonon ni. Mi oedd pawb yn eitha calm a deud y gwir. 'Dy dwrn di ydi hi rwan, a chdi wedyn...' Fi a'r capten, Capten Roberts, a'r medic Steve Jones, oedd y tri dwaetha i ddwad i ffwrdd odd'ar y llong. Mi ddeudon nhw wrtha i am neidio pan oedd y chopper ar y ffordd i fyny. Wrth wneud hynny mi deimlais i glec yn fy nghoes. Cartilej wedi dwad allan.

Mi aethon ni i lawr wedyn i Bluff Cove ei hun ac mi oedd 'na gwt defaid yn fan'no, yn hwnnw oeddan ni'n cael ein cadw. Mi ddaeth 'na air raid warning arall a mi ddeudon nhw wrthon ni am fynd allan i'r trench. Mi o'n i wedi mynd i mewn i delayed shock erbyn hyn, ac yn gwrthod siarad efo neb. Yr adeg hynny, dwi'n meddwl, mi wnes i newid fy nghymeriad. Mi oedd pawb mewn sioc a pobol yn cael eu symud i bob man. Mi roddon nhw fi ar long eto – y *Fearless*. Roedd rhywun wedi agor bar yno a mi ges ddau gan o gwrw. 'Hey, I thought you were dead,' medda'r Company Commander wrtha i. 'Sorry to disappoint you,' medda fi.

117

Mi aethon ni i'r lan wedyn ac i byncar yn Ajax Bay, mi oedd rhai o'r hogia wedi brifo a ninna'n symud i mewn i gael cits newydd aballu. Yn fan'no mi welson ni Commander Jolly, mi ddaeth hwnnw'n enwog am edrych ar ôl yr Argies. Mi oedd 'na rai carcharorion yn fan'no, yn y lock-up, a'r *Red Cross* yno'n gwneud yn siwr bod nhw ddim yn cael cam. Mi oeddan nhw'n cael gwell bwyd a gofal na ni. Yn fan'no mi welais i rai ohonyn nhw'n gwrando arnon ni'n siarad Cymraeg, a mi oedd un neu ddau yn gofyn am de a petha felly yn Gymraeg. Dwi'n siwr bod 'na rai ohonyn nhw'n dallt be oeddan ni'n ddeud, ond dwi ddim yn meddwl bod neb ohonyn nhw'n siarad Cymraeg yn iawn.

Dim ond rhyw bedwar neu bump diwrnod ar ôl hynny mi ddaeth y ceasefire ac mi aethon ni i gyd i Stanley i glirio fyny ac edrych ar ôl y *POWs* a hyn a'r llall. Wedyn mi gafon ni'n gyrru i Port Stanley Airport i gael 'madael â'r rhew oedd ar y runway. Am fod yr Harriers yn defnyddio cymaint o danwydd i fynd i fyny'n vertical mi oeddan nhw isio defnyddio'r runway fel bod nhw'n medru codi fel mae plên yn arfer gwneud. Ond mi ddechreuodd un woblio, wedyn un arall, a be mae'r Harriers yn wneud yn otomatig ydi cael 'madael â pob peth os byddan nhw'n crasho. Dyna be ddigwyddodd, a dyma'r sidewinder missile yn mynd i mewn i ganol tua saith neu wyth o'r hogia. Wnaeth dim un ohonyn nhw farw ond mi ddaru bron bob un golli coes neu fraich. Mi gafodd hyn i gyd 'i gadw'n ddistaw ar y pryd, fel tasa fo heb ddigwydd, ond mi oeddan ni'n gwbod bod o wedi digwydd.

Rwan bod o drosodd doedd yr hogia oedd wedi bod ar y *Galahad* a'r rhai oedd wedi bod ar y lan ddim bob amser yn gweld lygad yn llygad. Mi oedd un yn deud wrth y llall, 'Fasa'n well gen i fod ar y llong nag ar y lan.' A ninna'n deud 'Paid â bod mor stiwpid, mi gest ti gyfle i wneud rhywbeth a mi wyt ti wedi'i wneud o.' Mi oedd ganddyn nhw guilt trip. Mi gymrodd hi flwyddyn neu ddwy nes i'r hogia jelio eto.

Mi adawon ni Port Stanley a dyma fi'n sbio am y llong fydda'n mynd â ni adra, a doedd 'na ddim un yno. Y cwbwl oedd 'na oedd cross channel ferry o'r enw *St Edmund*. Felly mi oeddan ni'n gorfod mynd o'r South Atlantic i Ascension mewn flat bottomed boat! Mi oedd hi dros y lle i gyd. A be wnaethon nhw ond ein rhoi ni ac un o'r *Para Squadrons* ar yr un llong, oedd yn gamgymeriad mawr, yn enwedig ar ôl iddyn nhw agor y bar. Yr un peth fydda'n digwydd bob nos, oddan ni'n cael peint a wedyn oddan ni'n cwffio.

Dyma ni'n dadlwytho yn Ascension, a fflio o fan'no i Brize Norton. A pwy oedd yno'n ein cyfarfod ni ond Carlo, yn ysgwyd llaw efo pawb. Dyma un o'r hogia'n deud wrtho fo, 'I didn't know you were with us, I never saw you on the plane coming back.' Doedd gin yr hogia ddim mynadd efo rhyw betha felly, y cwbwl oeddan ni isio oedd mynd adra a cario mlaen efo'n bywydau.

Mi oedd ein cit ni, a'r documents i gyd, wedi mynd i lawr ar y *Galahad*. Rhyw fis ar ôl inni fod adra doeddan ni ddim wedi cael tâl o gwbl. 'Your documents aren't here so we can't pay you,' meddan nhw. Dim ceiniog. Roedd gan fy ngwraig gynta a finna ferch oedd yn flwydd neu ddwy oed ar y pryd. Sut oeddwn i i fod i fwydo'r rheini a finna heb ddim pres?

Pan ddois i'n ôl i'r bataliwn wedyn ar ôl y leave mi oedd pawb yn sefyll ar parêd a'r peth nesa dyma 'na sŵn 'Wooow', fel plên yn fflio'n isel. Dwn i'm be oedd o, hoax neu be, ond mi oedd hanner yr hogia wedi hitio'r dec. A dyma'r boi 'ma'n deud 'Stand up, what's the matter with you lot!' Ond doedd o ddim wedi bod yno nagoedd.

Mi oedd pob peth wedi newid rwan a mi oeddan nhw isio cael gwarad â'r hogia oedd wedi bod yn y Falklands. Mi oedd 'na rai wedi llosgi a rhai wedi colli coesau a breichiau, felly mi oeddan nhw'n gorfod cael madael â nhw. A mi oedd 'na griw newydd yn dod i mewn a doedd rheini ddim yn lecio'r bois oedd wedi bod yn y Falklands, felly mi oedd hi'n job ar y diawl cael ymlaen ar ôl hynna. Mi oeddan nhw'n fy ngweld i fel rhyw loose cannon, fel creadur peryg. Ond do'n i ddim, dim ond i bobol gadw draw a gadael llonydd imi, wedyn mi o'n i'n cael bywyd reit dda.

Roedd Wil yn falch o gael cyfle i dreulio wythnos ar y Falklands, mewn amgylchiadau gwahanol iawn i'r tro cynt, efo'i ffrind Howard 'Josk' Jones a'r criw teledu yn 2002.

Mi o'n i isio rhoi'r bwgan yn ei wely, fel byddan nhw'n deud. Mae pobol wedi bod yn deud 'mod i'n rhy flin ac yn rhy barod i fynd i gwffio a petha felly, a mi o'n i'n meddwl y bydda fo'n gwneud lles imi fynd yn ôl, felly pan ddaeth y cyfle mi benderfynais fynd. Roedd y daith i lawr yn un dda, mi stopion ni yn Santiago a hyn a'r llall. Ond doeddwn i ddim yn barod am fod ar yr ynysoedd eto, mi oedd hynny fel mynd yn ôl i fynwent. Doedd 'na ddim byd wedi newid o gwbwl yn y lle, mi wnes i ffendio'r twll yn y ddaear lle'r o'n i'n byw, a'r lle yn y cwt defaid lle'r es i mewn i sioc.

Pa effaith gafodd y rhyfel arna i? Mae'n dy wneud ti'n uffernol o galed efo pobol o dy gwmpas. Does gen i fawr o fynadd efo ffyliaid. Rwbath sy isio'i wneud, dwi'n ei wneud o rwan neu ddim yn boddrio o gwbwl. Sgin i ddim mynadd efo rhywun sy'n cwyno o hyd,'Dwi'n gorfod gneud hyn neu dwi'n gorfod gneud llall'. Dwi'n deud wrthyn nhw 'Caria mlaen a gwna fo a cau dy geg.' Mae 'na lawer o bobol yn meddwl 'mod i'n wahanol iddyn nhw, a maen nhw'n iawn. Ar ôl dros ugain mlynedd yn y fyddin dwyt ti ddim yr un fath â pobol sy ddim wedi bod yno. Pan dwi'n cyfarfod pobol fel Josk dan ni'n dwad ymlaen efo'n gilydd yn iawn, ond dydi pawb sy o'n cwmpas ni ddim bob amser yn dwad ymlaen efo ni. Doeddwn i ddim yn flin cyn imi fynd i mewn, ond do, mi ddaru'r fyddin fy newid i. Dim jest y Falklands, mi wnes i dair blynedd yn Iwerddon wedyn. Mae hynny ar ei ben ei hun, heb fynd i ryfel, yn newid rhywun. Dwyt ti ddim yn gwybod pwy ydi dy ffrind di a pwy ydi'r gelyn, felly dwyt ti ddim yn trystio neb. Mae hynny'r un fath efo fi a Josk, dydan ni ddim yn trystio neb, dim ond ein gilydd. Ti'n arfer gweithio mewn timau o bedwar a dim ond y pedwar yna wyt ti'n drystio. Mae'n uffar o beth, achos clic ydio, ond mae'n glic sy'n gweithio, achos ti'n gwbod y medri di drystio dy fywyd efo'r boi arall.

Mae 'na rai o'r hogia wedi diodda'n waeth na fi, mae pawb yn wahanol. Mae 'na label ar y peth rwan, Post Traumatic Stress Disorder, a mae 'na le yn Llandudno, *Tŷ Gwyn*, lle mae rhai o'r hogia'n mynd i gael triniaeth. Fedran nhw ddim delio efo bywyd, ond maen nhw'n teimlo'n saff yn fan'no am eu bod nhw yng nghanol pobol 'r un fath â nhw. Mae rhywun fel ticking timebomb. Ti'n disgwyl am unrhyw beth, ti'n sbio ar bawb sy'n dod i mewn i dŷ tafarn, yn ista rhan amla efo dy gefn at y wal, ti'n gwbod bod chdi'n saff yn fan'no. Efo fi, dwi'n gorfod bod yn gwneud rhywbeth o hyd. Yr unig amser dwi'n llonydd ydi pan dwi'n cysgu. Os wyt ti'n eistedd i lawr ac yn dechrau meddwl mae'r peth i gyd yn dwad yn ôl.

Mae gan Wil Howarth ddiddordeb ym Mhatagonia, ac mi hoffai fynd yno ryw ddydd. Gofynnodd gwestiwn na allwn ei ateb: sut groeso fyddai yno i rywun oedd wedi bod yn ymladd yn erbyn byddin Ariannin? Ond a oedd Wil ei hun yn sylweddoli yn ystod y rhyfel y gallasai Cymry fod ar yr ochr arall?

Mi ddeudon nhw wrthon ni ar y llong ar y ffordd draw bod hynny'n bosib. A mi o'n i'n cofio dysgu pan o'n i'n yr ysgol am Patagonia, amdanyn nhw'n mynd o Ynys Môn a llefydd eraill am bod nhw wedi cael eu hamgybio gan y Saeson a hyn a'r llall. Mi oedd o'n beth gwirion i'w feddwl ar y ffordd allan, be tasat ti'n cyfarfod rhai o'r bobol yma, a rheini'n siarad yr un un iaith? Ella basat ti'n lladd perthynas i ti dy hun, ti ddim yn gwbod. Ond y peth ydi, pan mae rhywun mewn rhyfel fedri di ddim fforddio gadael i ddim byd gwan fod yn y feddwl di, sgin ti ddim dewis ond cario mlaen. Tasa ti'n joci mewn Grand National ti'n gorfod curo, gorfod curo. Does 'na ddim 'ifs, buts, maybes', ti'n gorfod cario mlaen.

Yn unrhyw ryfel, os wyt ti'n rhoi gwn i hogyn pedair ar ddeg oed, yr oll mae'n gorfod 'wneud ydi tynnu'r triger. Dim ots bedi'r gelyn, dwyt ti ddim yn stopio a meddwl faint ydi'i oed o neu pwy ydio cyn 'i saethu fo. Dwyt ti ddim yn meddwl am y peth, achos chdi fasa wedi'i chael hi fel arall. 'Ours not to reason why, just to do or die.' Fedri di ddim fforddio cael cydwybod wrth fynd i ryfel.

10. HORACIO JOSE KENT, TRELEW

Fyddech chi byth yn meddwl hynny arno, ond mae Horacio Kent wedi cael mwy na'i siâr o groesau bywyd. Collodd ei dad pan oedd yn dair oed, bu farw'i wraig yn ddiweddar, gan ei adael i ofalu am ferch a mab, bellach yn naw a thair oed, sydd â'u lluniau ar silff y tu ôl i'w ddesg. Rhwng y ddau drychineb fe dreuliodd 74 o ddyddiau yn byw mewn twll gwlyb yn y ddaear ar un o ynysoedd y Malvinas, yn aros am y bomiau ac yn gweld ei ffrindiau'n marw. Ychydig mae o wedi sôn am y profiad hwnnw mewn ugain mlynedd, meddai, ond roedd yn falch o gael cyfle i wneud hynny am fod yna bethau y mae angen eu dweud. Felly y landiais i, efo Luned Gonzales eto'n cyfieithu, yn y swyddfa ger canol Trelew lle mae'n rhedeg swyddfa yswiriant ceir.

Mae'n bechod ein bod ni angen cyfieithydd o gwbl: does dim rhaid crafu'n ddyfn o dan yr wyneb i ddod o hyd i Gymraeg Horacio Kent. Mae'n medru dweud 'Sudach chi', 'bara menyn', 'teisen blât', ac ymadroddion eraill sy'n rhan o arferion cymdeithasol Cymry'r Wladfa. Tybed, felly, ai fo oedd un o'r Archentwyr y mae milwyr o Gymru'n mynnu iddyn nhw'u clywed yn dweud ambell frawddeg Gymraeg yn rhyfel y Malvinas? Nage, yn bendant, meddai. Doedd o ddim yn sylweddoli ar y pryd bod yna Gymry'n ymladd yn ei erbyn. Roedd yn meddwl am y gelyn i gyd fel Saeson. Yr unig rai y gwyddai amdanyn nhw oedd ddim yn Saeson oedd y *Gurkhas*, ac roedd 'na straeon am y rheini'n gwneud pethau erchyll yn y rhyfel.

Does dim angen llawer o gwestiynau ar Horacio Kent. Mae'n bwrw iddi i ddweud ei stori heb ffws na hunandosturi.

Mi ges i fy ngeni a'm magu ar ffarm fy nhaid a nain yn Nolavon. O Loegr y daeth yr enw Kent – aeth fy hen daid yn wreiddiol i Ogledd America a wedyn o'r fan honno i Ariannin. Brunt oedd enw fy nain ac roedd hi'n wreiddiol o Gymru. Roedd hi a fy nhaid yn siarad Cymraeg trwy'r adeg. Ond doedd dim Cymraeg ar ochr fy mam – Sbaenwyr oedd y cyndeidiau ar yr ochr honno. Roedd fy nhad yn un o wyth o blant. Mi fyddwn i'n siarad Cymraeg fy hun yn blentyn, yn enwedig efo fy Anti Gwen. Ar ôl iddi hi farw doedd dim cymaint o gyfle i siarad yr iaith a dwi wedi anghofio'r rhan fwya.

Newydd orffen yn yr ysgol uwchradd oeddwn i adeg y rhyfel. Roeddwn i'n 19 oed ac wedi dechrau ar fy ngwasanaeth milwrol yn y Fyddin ar y deuddegfed o Chwefror. Ar y pedwerydd o Ebrill roeddwn i yn y Malvinas. Felly roeddwn i'n filwr ers llai na thri mis, a heb gael fawr ddim hyfforddiant. Yn Comodoro Rivadavia oeddwn i, yn *Regimento 8 de Infanterio* – wythfed catrawd y milwyr traed.

Doedden ni ddim yn gwybod ar y pryd am unrhyw wrthdaro yn y Malvinas. Mi ddwedon nhw wrthon ni y bydden ni'n cael ein gyrru i Tucuman, talaith yng ngogledd orllewin Ariannin, i ymladd yn erbyn rhyw filwyr *guerilla*. Yr ail o Ebrill oedd hi a ninnau'n ymarfer yn galed pan ddaeth galwad i'r gatrawd gyfan ffurfio ar y maes, y Plaza de Armas, am saith o'r gloch y bore. Mi ganon ni weddi genedlaethol Ariannin, ac yno y dwedon nhw wrthon ni bod Ariannin wedi ennill Ynysoedd y Malvinas yn ôl.

Y diwrnod wedyn mi roeson nhw ddillad militaraidd cyflawn inni, reiffl o'r pedwardegau i bawb, rycsac efo pethau angenrheidiol, a'n rhoi ni ar awyren Fokker. Roedden ni yn Puerto Argentino ar y Malvinas am chwech o'r gloch y bore ar y pedwerydd o Ebrill.

Roedd o i'w weld yn lle hyfryd pan gyrhaeddon ni. Roedd y borfa mor wyrdd ar y Malvinas. Roedd y llwyni'n fawr ond y borfa'n isel, 'r un fath â chwrs golff bron. Doedd 'na ddim llawer o gysylltiad rhyngddon ni a phobol yr ynysoedd. Hynny o gysylltiad oedd 'na doedden nhw ddim yn rhy falch o'n gweld ni, wrth reswm. Mi fues i yn Puerto Argentino am bymtheg diwrnod a wedyn cael fy symud i'r ynys arall, Gran Malvina (Gorllewin Falkland). Fan honno buon ni wedyn mewn lle o'r enw Bahia Zorro, neu Fox Bay fel oedden nhw'n ei alw fo.

O hynny mlaen roedden ni yn y rheng flaen yn y frwydr. Roedden ni'n cuddio mewn tyllau yn y ddaear ond bob tro roedd yna ymosodiad, ni oedd y rhai cynta i'w chael hi. Roedden nhw'n ymosod o'r awyr ac o longau, ond doedd 'na ddim ymosod ar y tir, achos doedden nhw ddim yn awyddus i lanio lle'r oedden ni. Roedd hynny am fod ganddon ni strategaeth i'w twyllo nhw. Ar hyd yr arfordir roedden ni wedi gosod rhesi o beipiau metel fel decoy. Ar eu radar nhw roedd y rheini'n edrych fel gynnau gwrthawyrennau. Ond doedd neb ohonon ni'n agos at y fan honno pan oedden nhw'n ymosod.

Roedd yna bob amser tua dau ddeg centimetr o ddŵr yn y tyllau lle'r oedden ni'n byw. Wedyn mi ddaeth yn aeaf a dechrau bwrw eira. Roedd y tyllau'n rhyw fetr a chwarter wrth fetr a hanner o faint, ac ychydig dros hanner metr o ddyfnder. Roedd y tir yn sugno llawer o ddŵr ac mi fyddai'r tyllau'n llenwi'n aml. Wedyn mi fydden ni'n codi'r llawr yn uwch efo cerrig. Mi fum i'n byw felly am 74 diwrnod heb ymolchi unwaith. Roeddwn i'n dal yn yr un dillad a'r rheini'n dechrau pydru amdana i, a'r trôns llaes o'n i'n wisgo yn stretsio ac yn disgyn i lawr.

Roedd o'n fywyd caled ofnadwy ac mi aeth y problemau'n waeth ar ôl i'r Saeson gau'r culfor oedd rhwng y ddwy brif ynys. Trwy Puerto Argentino yr oedden ni'n cael ein bwyd, roedd popeth yn gorfod glanio yno. Ond erbyn hyn doedd dim byd yn gallu glanio, roedd popeth yn cael ei saethu i lawr, felly doedd dim bwyd yn ein cyrraedd ni. Newyn oedd y broblem fwya, ond nid yr unig broblem. Roedd y tamprwydd yn ein hesgidiau a'n sanau yn golygu bod traed pawb yn diodde'n ofnadwy. Er ein bod ni'n cael ein bomio bob hyn a hyn, rhyfel yn ein herbyn ni'n hunain ac yn erbyn yr elfennau oedd hi'n fwy na dim, rhyfel i aros yn fyw o ddydd i ddydd.

Ar y penwythnosau, yn ystod y nos, yr oedden nhw'n arfer ymosod arnon ni o'r awyr. Mi ddwedodd rhai o'r Saeson wrthon ni wedyn mai'r rheswm oedd eu bod nhw'n cael tâl dwbl am fynd allan yr adegau hynny, ond dwi ddim yn gwybod a oedd hynny'n wir. Doedden ni byth yn tanio'n ôl at yr awyrennau, neu mi fuasen nhw'n cael gwybod lle'r oedden ni ac yn gollwng popeth oedd ganddyn nhw ar ein pennau ni. Doedd dim llawer ohonon ni'n cael eu lladd gan y bomiau achos doedden nhw ddim yn gwybod ble i anelu'r bomiau.

Doedden ni'n cael gwybod dim byd beth oedd yn digwydd yn y rhyfel. Yr unig newydd oedden ni'n 'gael oedd ein bod ni'n ennill, ac yn lladd llawer o'r Saeson. Ond wrth gwrs celwydd oedd hyn i gyd.

Ond un noson mi gawson ni orchymyn i ildio, gan fod y rhyfel yn dod i ben. Roedden ni yn ein safleoedd a dyma nhw'n dweud wrthon ni ar y radio am fynd at siediau ar *estancia*, neu ffarm fawr, tua phedwar cilometr tu ôl i ni. Pennaeth y Gatrawd, Uwch Gapten Garzon, ddwedodd wrthon ni bod Menendez wedi ildio yn barod, a bod eisiau i ninnau roi'n harfau i lawr. Roedden ni i fod i ddinistrio'n harfau i gyd a malu'r cerbydau oedd ganddon ni, cyn bod y Saeson yn cyrraedd, fel na fyddai dim byd ar ôl iddyn nhw'u defnyddio. A dyna wnaethon ni. Ddau ddiwrnod wedyn mi gyrhaeddodd y Saeson.

Yr unig fwyd oedd ar gael oedd y pethau oedden ni wedi'i

anfon i'r bobol oedd yn byw ar yr *estancia*. A'r defaid, dyna wnaeth achub fy mywyd i. Roeddwn i wedi arfer lladd a rhostio defaid gartre ym Mhatagonia, ond doedd dim llawer o'r milwyr eraill wedi gwneud hynny erioed. Erbyn y diwedd roedd y defaid hefyd yn mynd yn brin, a mi fuon ni'n chwilio am gregyn gleision ar y traeth. Roedd 'na un bachgen yn dod o Cordoba [ail ddinas Ariannin] a mi fuo hwnnw farw o botulism am ei fod o'n bwyta bwyd oedd wedi mynd yn ddrwg, bwyd oedden ni wedi'i daflu. Mi fuo llawer o filwyr eraill farw yn y ffordd honno.

Mi gyrhaeddodd y Saeson mewn cwch glanio ar ôl iddi dywyllu. Roedden nhw'n ein trin ni'n dda iawn. Mi gymron nhw fanylion personol pob un ohonon ni. Wedyn mi gawson ni'n rhoi ar hofrennydd a'n cario allan i ganol y môr. Doedd ganddon ni ddim syniad beth oedd yn digwydd inni, ond mi gawson ni orchymyn i neidio oddi ar yr hofrennydd i gwch glanio. Mi aeth hwnnw â ni allan at long, y *Norland*, oedd i fynd â ni yn ôl i Borth Madryn. Roedd hyn i gyd yn digwydd yng nghanol y nos.

Roedd y llong yn orlawn o filwyr, yn Archentwyr a Saeson. Mi ofynnon nhw i ni oedd rhywun ohonon ni'n siarad Saesneg. Mi oeddwn i'n siarad rhywfaint, wedi cael fy nysgu gan Eirie John Lloyd ac Eileen de Jones yn Ysgol William Morris yn Nolavon. Felly mi ges i fy nerbyn fel cyfieithydd, i ddosbarthu bwyd a phapur toiled ac ati, a threulio llawer o amser yn y gegin gyda'r milwyr Prydeinig. Ro'n i'n cysgu mewn caban – un caban rhwng tri ohonon ni – gwely cyfforddus, dŵr cynnes, bath – perffaith!

Roedd yn brofiad da medru cyfathrebu efo'r milwyr Prydeinig. Dyna pryd oedd rhywun yn sylweddoli cymaint o wahaniaeth oedd yna rhyngddyn nhw a'n milwyr ni. Doedd ganddon ni ddim gobaith i'w trechu nhw mewn rhyfel. Ddim dan unrhyw amgylchiadau. Roedd yr hyn ddigwyddodd i fechgyn Ariannin yn laddfa.

Ond roedd y milwyr Seisnig yn fy nhrin i'n dda iawn rwan

127

bod y rhyfel drosodd. Mae'n anodd disgrifio'r newyn oedden ni'n 'ddiodde. Ond roedden nhw'n fy mwydo i'n dda – achos 'mod i'n dosbarthu bwyd i'r lleill roeddwn i'n cael aros yn y gegin ac yn bwyta cymaint ddwyaith â'r gweddill! Am y pedwar diwrnod gymron ni i gyrraedd Porth Madryn roedd y bwyd yn cael ei ddogni, a phawb i fod i gael un frechdan ham a chaws, dau wy wedi'i ferwi a hanner litr o laeth bob pryd.

Beth oedd yn ddiddorol ar y llong oedd sylwi ar ymddygiad y swyddogion militaraidd – yr hierarchiaeth ym myddin Ariannin. Pan gyrhaeddon nhw'r llong roedd llawer ohonyn nhw'n tynnu eu streipiau i ffwrdd. Roedden nhw eisiau rhoi'r argraff mai milwyr cyffredin oedden nhw, er mwyn osgoi unrhyw broblemau efo'r milwyr Prydeinig. Yn ein golwg ni, y milwyr Archentaidd cyffredin, llwfrdra oedd hyn. Roedden ni'n eu gweld nhw fel dihirod mewn ffilm. Pan oedd hi'n dod yn amser iddyn nhw wynebu'u cyfrifoldebau, doedden nhw ddim yn fodlon gwneud hynny.

Mi gyrhaeddon ni Borth Madryn am un ar ddeg o'r gloch un bore. Roedd pobol y ddinas i gyd yno'n aros amdanon ni. Roedd y *Canberra* wedi cyrraedd yno o'n blaenau ni. O Borth Madryn mi ges i fy symud i orsaf y Llu Awyr yn Nhrelew, a chael fy nghroesawu yno gan berthynas oedd yn filwr. Mi roddodd fwyd i mi, a rhoi gwybod i fy mam yn Nolavon lle'r oeddwn i. Doedd y teulu ddim yn cael dod i 'ngweld i, roedden ni mewn cyflwr gwael iawn oherwydd diffyg maeth a doedd yr awdurdodau ddim eisio iddyn nhw'n gweld ni yn y stad honno. Wedyn mi symudwyd y Gatrawd i gyd mewn bws i Comodoro Rivadavia. Mi fuos i yno am chwech wythnos arall yn dod ataf fy hun a chael digon o fwyd. Doeddwn i ddim yn cael unrhyw ofal meddygol. Ond mae llawer o'r bechgyn eraill oedd efo fi yn y rhyfel yn dal yn wael eu hiechyd hyd heddiw.

Dydw i ddim wedi cael unrhyw broblemau, meddyliol na chorfforol, diolch i Dduw. Roeddwn i wastad yn gryf. Ar ôl y rhyfel doeddwn i ddim yn teimlo chwerwedd tuag at neb, mi es ati i weithio ac anghofio am beth oedd wedi digwydd. Fydda i ddim yn arfer mynd i ganolfannau'r cyn-filwyr, er y bydda i'n helpu pan fydd rhywun yn gofyn am rywbeth. Dydw i ddim yn cloddio i mewn i'r gorffennol o ddydd i ddydd.

Dwi'n dal i gredu am sawl rheswm mai Ariannin biau'r Malvinas. Ond mae'n rhaid dweud bod y Prydeinwyr sy'n byw yno wedi gofalu am y lle yn well na fydden ni wedi gwneud. Dwi o blaid rhyw fath o integreiddio, efo rhyddid iddyn nhw ddod yma a rhyddid i ni fynd yno. Mae 'u traddodiadau nhw'n wahanol iawn i'n rhai ni wrth reswm, ac mi aethon ni yno i ymyrryd â'u traddodiadau nhw wedi cant a hanner o flynyddoedd.

Mae 'na un peth yn dal i fy mhoeni fi ynglŷn â'r rhyfel. Mae 'na fynwent yn Puerto Argentino lle mae'r rhan fwyaf o'r milwyr Archentaidd fu farw yn y rhyfel wedi cael eu claddu. Yn y lle'r oeddwn i, ar yr ynys arall, mi gafodd dau ar bymtheg neu ddeunaw, o bosib ugain, o'n criw ni eu lladd. Roedd rhai ohonyn nhw'n ffrindiau agos i mi. Dyna ichi'r un fu farw o botulism wrth fy ochr i, yn y twll yn y ddaear. Un arall o Cordoba gafodd ei ladd pan ffrwydrodd bom. Dwi'n siwr bod eu gweddillion nhw'n dal yn yr un lle, fyddai'r Prydeinwyr na neb wedi mynd i'r drafferth o'u symud nhw. Mi faswn i'n hoffi mynd yn ôl i'r ynysoedd unwaith eto i dalu gwrogaeth i'r rhain ac i ofalu eu bod nhw'n cael eu claddu efo'r lleill yn y fynwent yn Puerto Argentino.

11. ARTHUR WYN WILLIAMS, MORFA NEFYN

Roedd y *QE2* wedi hen groesi'r cyhydedd, a'r tywydd yn dechrau oeri wrth iddi bydru mynd tua'r de. Yn sydyn fe glywodd y baggagemaster, Selwyn Jones, ei enw ar y tannoy. O fewn munudau roedd yn curo ar ddrws caban rhif 2010, a agorwyd gan ei frawd yng nghyfraith, Arthur Wyn Williams. Roedd cwestiwn Selwyn yn un digon rhesymol o dan yr amgylchiadau: 'Be uffar wyt ti'n da yn fa'ma?' Doedd neb wedi dweud wrtho bod Arthur, gŵr ei chwaer, wedi cael galwad hwyr i ymuno â'r Tasglu ar eu ffordd i'r Falklands. 'Mi oedd ein coesau ni'n dau fel jeli,' meddai Arthur heddiw. 'Roedd hi'n anodd deud p'run ohonon ni fasa'r cynta i syrthio.'

Heddiw mae Selwyn wedi ymddeol o'r môr ac yn byw yn Efail Newydd ym Mhen Llŷn, tra bod Arthur yn rheolwr cartref henoed ym Mhwllheli. Bydd y ddau'n cyfarfod yn aml, weithiau i blannu tatws neu dacluso gerddi, dro arall i chwarae pŵl. Mae'r fordaith honno i Dde'r Iwerydd yn fyw iawn yng nghof y ddau, a'r milwr yn dal yn ddiolchgar i'r llongwr am ambell gymwynas.

'Pan oedd gen i rywfaint o amser sbâr mi fyddwn i'n cael mynd i lawr i'r gali am ryw lymad bach efo'r criw,' medd Arthur. 'Doeddan ni ddim i fod i fynd, ond mi fydda Selwyn yn fy smyglo fi yno yn lifft y bwyd.'

Roedd Arthur, mab i gyn-longwr a aeth wedyn yn wyliwr y

glannau ym Mohrthdinllaen, wedi bod yn y fyddin am dros ddeuddeng mlynedd cyn cael ei alw i'r Falklands.

Mi es i at *Manweb* fel prentis trydanwr i ddechra, ond i fod yn onest mi o'n i'n hogyn drwg yn fan'no a mi ges i'n hel allan. Wnes i ddechra ar job efo cwmni o Lundain yn y pen yma, a mi aeth rheini i'r wal. Mi es i Fangor gan feddwl mynd i'r *RAF*. Ond mi oedd y dyn hwnnw wedi mynd am 'i ginio. Felly mi es ar draws y coridor i siarad efo dyn yr Armi. Dyna sut es i i'r fyddin. Mi oedd hynny'n siom fawr i Nhad, o'dd o'n disgwyl i mi fynd i'r môr 'r un fath â fo.

I'r *Royal Corps of Signals* es i, i fod yn *linesman* fel oddan nhw'n galw nhw ers talwm, *telecommunication mechanics* ydyn nhw rwan. Ar gownt y cefndir efo Manweb mi o'n i'n gallu rhoi leins teliffon ar y polion a petha felly. Ac off â fi yn ddwy ar bymtheg i Catterick yn Yorkshire i wneud y trening. O'n i wedyn yn cael posting i'r *Seventh Armoured Brigade,* neu'r *Desert Rats* mewn lle yn ymyl Hamburg, yn 1970.

Ar ôl cyfnod yn Oman daeth Arthur adref i briodi ei wraig, Carys, cyn symud i ganolfan awyrlu ar y ffin rhwng yr Almaen a'r Iseldiroedd. Ganwyd eu mab, Ian, ond yn naw mis oed cafodd ei daro'n ddifrifol wael gyda thiwmor ar yr ymennydd. Bu'n cael triniaeth yn ysbyty *Great Ormond Street* yn Llundain ac yna yn *Clatterbridge*, Swydd Caer.

Tra'r oedd Ian yn *Clatterbridge* mi ges i posting i Lerpwl efo'r *Territorials* fel bod ni'n reit agos at ein gilydd fel teulu. Ond ar ôl blwyddyn yn fan'no mi ddeudodd y Fyddin bod yn rhaid imi benderfynu beth o'n i am 'wneud. Mi oedd y driniaeth wedi gadael Ian yn ddall a doedd gan y fyddin ddim adnoddau o gwbwl inni fedru edrych ar ei ôl o. Felly mi oedd rhaid imi ddewis rhwng yr Armi neu fy hogyn. Mi fuon ni am fis neu fwy yn pendroni ac yn siarad efo'r doctoriaid. Doeddan nhw ddim yn rhoi llawer o amser i Ian

131

bach, ac mi gafon ni le iddo fo mewn *Sunshine Home for the Blind* yn Southport, oedd yn cael ei redeg gan leianod.

Aeth Arthur a Carys yn ôl i'r Almaen, lle cafodd Arthur ei ddyrchafu'n Sarjant. Fe'i symudwyd wedyn i'r pencadlys yn Aldershot.

Mi o'n i wedi bod adra am ddau ddiwrnod pan ges i neges bod gen i 24 awr i bacio fy magia a mynd i'r Falklands. 'Newydd gyrraedd adra ydw i,' medda fi, a mi roethon nhw ddeg diwrnod imi gael mynd i weld fy mab a threfnu petha efo'r wraig yn y pen yma.

Roedd y rhan fwyaf o'r tasglu wedi hwylio o Southampton a Portsmouth yng nghanol y baneri a'r camerâu erbyn i Arthur ddal awyren i Ascension, ac yna aeth ar long yr *HMS Cardiff*, i gyfarfod ei gyd-filwyr – a'i frawd-yng-nghyfraith – ar y *QE2*.

Mi oedd gweddill y grŵp efo'i gilydd ers tipyn, a finna'n landio'n newydd yn eu canol nhw. Doedd o ddim y dechra gora, ond mi ddaethon ni dros betha felly yn yr wythnos wedyn. Mi ges i fy brief gan y Squadron Commander, gwybod be'n union o'n i fod i'w wneud. Major Forge oedd ei enw fo, rhyw gowboi braidd, oedd o'n gwisgo colt 45 efo handlan ifori.

Mi oddan ni'n trenio ar y *QE2* ar y ffordd i lawr: rhedeg tair lap rownd y llong, efo'r *Gurkhas* yn cychwyn am bedwar o'r gloch y bore. Wedyn mi fydda criw y llong wedi rhoi llwythi o rybish mewn bagiau du a'u taflu nhw i'r môr i ni gael practisio saethu atyn nhw. Mi o'n i'n deall wedyn bod 'na submarine o dan y llong yr holl ffordd, yn enwedig wrth inni fynd yn nes at South Georgia, rhag ofn iddyn nhw drio'i sincio hi. Achos mi fasa 'na helynt ofnadwy tasa Maggie wedi colli'r *QE2*...

Gwaith y *Royal Signals* ar y Falklands oedd sefydlu a chynnal systemau teleffon i alluogi gwahanol rannau'r fyddin i gyfathrebu â'i gilydd. Cyrhaeddodd Arthur Goose Green, safle brwydr fwyaf gwaedlyd y rhyfel, y diwrnod ar ôl i Cyrnol H Jones ac ugeiniau eraill o'r ddwy ochr gael eu lladd yno. Tra'r oedd y *Royal Signals* yn cynnal eu pencadlys yn Goose Green ar rai dyddiau, roedd y milwyr troed yn dal i wthio'u ffordd tua Port Stanley.

Doedd y setiau radio oedd ganddon ni ddim yn gweithio mewn gyli, felly mi oedd raid inni gael relay stations ar ben mynydd. Mi oeddan ni wedi gyrru pedwar o hogia allan i drefnu hyn, efo digon o ddŵr a rasions am ddau neu dri diwrnod, a mi oedd y tri diwrnod wedi dod i ben... Mi fedrodd Major Forge a'r Staff Sargeant, Joe Baker, gael gafael ar Gazelle helicopter i fynd i chwilio amdanyn nhw. Mi oedd Joe Baker yn ffrind i mi, oeddan ni wedi cael amball i beint efo'n gilydd ar y *QE2* ar y ffordd i lawr. Major Forge oedd y 'cowboi' o'n i'n sôn amdano fo. 'I'll go and sort it out,' medda fo. Mi o'dd hi'n noson dawel glir a'r lleuad allan a mi glywson ni sŵn y Gazelle yn mynd. Tua hanner nos dyma glywed bang, a ninna'n meddwl bod rhywun wedi dechrau bomio. Ond tua hanner awr wedi tri mi ddaeth y newydd drwodd. Mi oedd rhywun heb ddweud wrth y *Navy* bod yr helicopter ar ei ffordd, a nhwtha'n ei chodi hi ar y radar ac yn meddwl mai un o rai'r gelyn oedd hi. Yr *HMS Cardiff* ddaeth â'r Gazelle i lawr. Mi gafodd Joe Baker, Major Forge a thri o griw'r helicopter eu lladd yn syth.

O fewn rhyw ddeuddydd roedd Arthur yn dyst i'r drychineb fwyaf a ddaeth i ran ei gyd-Gymry yn y rhyfel.

Mi oeddan ni wedi croesi o Goose Green i Fitzroy mewn llong fach, coaster oedd wedi bod yn cario ŵyn a bwyd rhwng yr ynysoedd ac Argentina, ac wedi gwneud ein headquarters yn yr hangar mawr 'ma, er bod llawer ohonon ni'n meddwl bod hynny'n gamgymeriad – un bom a mi fasan ni i gyd wedi'i chael hi. Mi oedd *HMS Tristram* a *Galahad* wedi cyrraedd yno noson cynt... Diwrnod wedyn mi o'n i ar duty, yn gneud yn siwr bod y teliffons yn gweithio'n iawn, a dyma gythral o glec, a'r aer i gyd fel tasa fo'n cael ei sugno o'r sied, a pawb yn rhedeg allan...

Panic mawr. Mi es i'n ôl i'r hangar a gafael mewn teliffon a pac o D10 – hanner milltir o gebl. Clymu'r cebl wrth bostyn a rhedeg i lawr i lle'r oedd y llongau ar dân, a gosod linc rhwng yr headquarters a'r bridgehead commander. Erbyn hyn mi oedd 'na helicopters wedi cyrraedd ac yn trio chwythu'r cychod achub oddi wrth y llongau. Ffrwydradau mawr ac ogla llosgi, mwg du, a'r hogia 'ma'n cael eu cario i'r lan ar y cychod y croen yn gyrls ar fysedd a dwylo rhai ohonyn nhw, gwyneba wedi llosgi'n ddu. Dwi rioed wedi gweld dim byd tebyg yn fy mywyd. Deuddeg awr arall ac mi oedd popeth drosodd a'r lle'n hollol ddistaw. Do'n i ddim yn nabod neb o'r hogia ar y *Galahad* ond mi oedd yn drist iawn meddwl mai hogia o Gymru oeddan nhw...

Cyn i'r faner wen gael ei chodi uwchben Port Stanley roedd Arthur wedi cael newydd oedd yn gwneud y rhyfel, y funud honno, bron yn amherthnasol.

Mi ddaeth yr RSM i ngweld i, a mi o'n i'n gweld ar ei wyneb o bod 'na rywbeth mawr o'i le. Dyma ni,' medda fi, 'dwi'n cael fy ngyrru i rwla eto.' Dyma fo'n fy nhynnu fi i'r ochor. 'Let's go for a walk,' medda fo. O'n i'n gwbod bod o isio deud rwbath, ond beth, wyddwn i ddim. Newyddion o adra oedd ganddo fo, teligram yn deud bod Ian bach wedi mynd. Roedd o wedi cael meningitis yn y cartra yn Southport. Mi oedd o'n wyth a hanner oed ac wedi cwffio am ei fywyd ers pan oedd o'n flwydd. Mi o'n i'n cofio geiria'r doctor yn Clatterbridge pan oedd o'n naw mis oed, yn deud bod nhw am roi tri i chwe mis arall iddo fo. Tro dwaetha i mi 'i weld o cyn mynd i'r Falklands mi ddeudodd un o'r staff bod o'n dal i lecio'i ice cream yn bwdin, a bod o wedi dysgu nofio. Dyna be ddaeth i fy meddwl i gynta. Mi oedd yr RSM druan yn crio, ond ar y funud honno fedrwn i ddim, mi o'n i mewn cymaint o sioc.

* * *

Yn 1986, ac yntau'n Sargeant Major erbyn hyn, cafodd Arthur gyfle i fynd yn ôl i'r Falklands am naw mis. Ar Sul y Cofio bu mewn gwasanaeth i goffáu ei ffrindiau oedd wedi eu lladd yn yr hofrennydd. Mae'n dweud i'r cyfnod hwnnw, bedair blynedd ar ôl y rhyfel, ei helpu i ddygymod â'r profiadau.

Yng nghanol y tour mi oeddach chi'n cael ychydig ddiwnodau i ffwrdd, a mi ddewisais i dreulio'r rheini mewn pwt bach o ynys oeddan nhw'n alw'n Penguin Island. Mi oedd 'na ddau gwt wedi eu gadael yno ar gyfer pobol fydda'n lecio mynd i dynnu lluniau'r pengwyns. Y noson gynta mi gysgais i fel mochyn, ro'n i wedi blino cymaint. Y diwrnod wedyn mi es inna i dynnu llunia'r pengwyns, a mi gymrodd oriau i mi sylweddoli eu bod nhw'n fodlon dwad ata'i dim ond imi blygu i lawr fel 'mod i'n is na nhw. Pan o'n i'n gorwedd ar fy mol mi oeddan nhw'n dwad yn reit agos, ond bob tro'r o'n i'n sefyll mi oeddan nhw'n rhedeg i ffwrdd. Mi o'n i yno ar fy mhen fy hun yn y distawrwydd, dim sŵn ond awel y môr.

Yr ail noson mi o'n i fel taswn i wedi deffro i gyd, ar ôl bod yn byw mewn rhyw hanner breuddwyd ers 1982. Dyna pryd gwnes i sylweddoli yn union beth oedd wedi digwydd i mi, lle'r o'n i wedi bod, beth o'n i wedi'i weld, colli'r hogia, yr hyn welais i ar y *Tristram* a'r *Galahad*, ac yn enwedig colli Ian bach. Tan hynny mi o'n i wedi cloi'r cwbwl rywle yn nhu ôl fy mhen. Mi fuos i'n effro trwy'r nos, yn meddwl ac yn smocio ac yn yfed te. Pan godais i bore wedyn mi oedd 'na ryw bwysau mawr wedi clirio odd'ar fy sgwydda fi. Ac o'r penwythnos hwnnw ymlaen, rydw i wedi medru ysgwyd y cwbwl allan o fy meddwl a mynd ymlaen efo fy mywyd.

12. JULIO OSCAR GIBBON, ESQUEL

Tref wastad ar waelod powlen o fynyddoedd â'i strydoedd yn rhwydwaith o sgwariau – dyna Esquel yng Nghwm Hyfryd. Mae un sgwâr o fewn y sgwariau wedi ei amgylchynu gan wifren uchel. Dyma ganolfan y *Gendarmeria*, Gwarchodwyr y Ffin. Dydi'r clawdd terfyn rhwng Ariannin a Chile ddim ymhell, ac roeddwn innau ar fy ffordd i'r ganolfan i holi un o'r Gwarchodwyr. Ar ôl dod i arfer â chyfarfod cyn-filwyr oedd wedi cael eu hanfon i'r Malvinas trwy orfodaeth, mewn anwybodaeth a heb hyfforddiant, roeddwn i'n edrych ymlaen at gyfarfod un oedd wedi mynd yno o ddewis. Roedd Julio Oscar Gibbon yn filwr cyn bod sôn am y rhyfel, ac mae'n filwr hyd heddiw.

Doeddwn i ddim yn siwr sut groeso fyddai yna yn y gwersyll milwrol i ddinesydd Prydeinig, boed hwnnw'n Gymro neu beidio. Ond o leia roedd gen i dywyswraig a chyfieithwraig gyda'r cymwysterau gorau posib. Mae Aira Hughes a'i gŵr Elgar yn byw o fewn bloc neu ddau i'r ganolfan, er ei bod hi'n hawdd anghofio eich bod yn un o drefi'r Ariannin wrth fwynhau eu croeso Cymraeg. Mi allech fod ar aelwyd wledig yn Nyffryn Clwyd neu Sir Drefaldwyn. Roedd Aira'n arfer bod yn athrawes ysgol gynradd yn Esquel, ac roedd Julio Oscar Gibbon yn un o'i disgyblion. Yn well byth, roedd ei thad wedi bod yn aelod o'r *Gendarmeria*.

Mae'r enw 'Gibbon' yn enwog ymhlith Cymry'r Wladfa, am resymau amrywiol. Daeth y cyntaf o'r tylwyth i Batagonia o

137

Gasllwchwr gyda'r gwladfawyr cynnar. Roedd ganddo bump o feibion, dau ohonyn nhw ymhlith sylfaenwyr a hoelion wyth capel Seion yn Esquel. Ond aeth brawd arall ar drywydd go wahanol. Y Rebel oedd llysenw Mansel Gibbon, ac yn ôl y disgrifiad ohono yng nghyfrol R.Bryn Williams, 'Y Wladfa', roedd yn deilwng iawn o'r teitl. Roedd yn gydymaith i Wilson ac Evans, y ddau wylliad a saethodd Llwyd ap Iwan yn farw yn Nant y Pysgod yn 1909, un o'r digwyddiadau mwyaf ysgytwol yn hanes y Wladfa. Bu Mans Gibbon ei hun ar ffo am ran helaeth o'i oes. Roedd plismon lleol yn credu ei fod wedi llwyddo i'w saethu wrth iddo geisio dianc ar draws afon. Ond roedd y Rebel wedi nofio i ddiogelwch o dan y dŵr. Aeth i fyw yn Chile gan briodi merch o'r Almaen a byw bywyd digon cyfforddus.

Gor-ŵyr i un o frodyr parchus y Rebel ydi Julio Oscar Gibbon. Ond ar wahân i'r ffaith ei fod yntau'n gwisgo gwn ar ei felt, doedd yna ddim byd yn wyllt na bygythiol yn ei gylch wrth iddo'n cyfarch ym mhencadlys y *Gendarmeria*. Roedd wrth ei fodd yn cyfarfod ei hen athrawes, ac yn ôl pob golwg yn ddigon parod i 'nghroesawu innau i'w weithle.

Un broblem yr oeddwn yn ei rhagweld oedd bod angen imi dynnu ei lun. Roedd y llyfrau twristiaeth yn eich rhybuddio mai annoeth oedd dangos camera yng nghyffiniau sefydliadau militaraidd yn Ariannin. Pan aeth â ni i swyddfa foel i gynnal ein sgwrs, fy ngobaith oedd y cawn dynnu'r llun yn y fan honno. '*Si, si,*' meddai pan ofynnodd Aira iddo, ac awgrymodd yntau y byddai'n well ei dynnu y tu allan. I ffwrdd â ni felly i sgwâr drilio oedd wedi'i gau i mewn gan bedair rhes o adeiladau, sgwâr oedd wedi ei enwi ar ôl un o'i gyd-filwyr na ddaeth yn ôl o'r Malvinas. Roedd hi'n bnawn Sadwrn a doedd fawr neb arall i'w weld yn y gwersyll, ond wrth inni baratoi i dynnu'r llun daeth dyn talsyth ac awdurdodol atom. Fe'i cyflwynwyd imi fel pennaeth y gwersyll, ac roedd wedi dod yno i'n cyfarch ac i ddymuno'n dda i ni.

Yn ôl yn y swyddfa roedd Julio yn ateb pob cwestiwn ar ei

ben, bron na ddeudech chi fel ergyd o wn. Mi allech ddweud cyn aros am y cyfieithiad nad oedd yr amau a'r cwestiynu oedd wedi bod yn corddi rhai o'r rhyfelwyr anfoddog am ugain mlynedd erioed wedi croesi meddwl y milwr proffesiynol.

Gweithio yma yn y *Gendermeria* oeddwn i cyn rhyfel y Malvinas, ond roedden nhw wedi'n paratoi ni ar gyfer math gwahanol o waith. Un o'r pethau wnes i oedd dilyn cwrs *commando*. Roedd hwnnw'n ein paratoi ni'n feddyliol ac yn gorfforol ar gyfer yr hyn fydden ni'n ei wneud yn y Malvinas. Dyna oedd prif bwrpas y cwrs.

Wedyn mi aethon ni i Comodoro Rivadavia ac o'r fan honno mewn awyren Hercules i Puerto Argentino. Roedd hyn ym mis Mai a'r ymladd ar yr ynysoedd wedi dechrau. Mi gyrhaeddon ni yno ar ddydd Gwener, ar y dydd Sadwrn mi fuon ni'n archwilio'r tir, ac ar y dydd Sul mi oedd chwech o'n sgwadron ni eisoes wedi colli'u bywydau yn y frwydr. Saith o'r sgwadron gafodd eu lladd yn y rhyfel i gyd, a dau'n cael eu hanafu. Dwi'n cofio'u henwau nhw. Nassif, Pereira, Guerrero, Parada...

Roedden ni'n aros yn Puerto Argentino, ond ein gwaith ni fel milwyr arbenigol oedd mynd allan bob pnawn ar gyrchoedd i dir y gelyn. Roeddwn i yn Mount Kent, Mount Two Sisters, y llefydd yna i gyd. Mi fydden nhw'n tanio aton ni o'r awyr yn y bore neu gyda'r nos, ac o'r llongau yn ystod y nos. Roedd hi'n frwydr seicolegol yn fwy na dim – roedden nhw'n ein rhwystro ni rhag cysgu. Doedd y bomio a'r saethu byth yn peidio.

Fel milwyr arbenigol o dan arweinyddiaeth Rico y Seineldin mi fyddai'n sgwadron ni'n mynd allan bob dydd y tu ôl i linellau'r gelyn, weithiau yn y rheng flaen, weithiau'r ail reng ac weithiau'r drydedd. Mi fuon ni mewn sawl brwydr nad ydw i ddim yn cofio'u henwau. Er yr holl baratoi, doedden ni ddim wedi disgwyl gweld unrhyw beth fel hyn.

Roedd y tri diwrnod olaf yn arswydus. Erbyn hynny roedd y Prydeinwyr wedi treiddio i bob man ar yr ynysoedd. Mi ddechreuodd ein rhengodd blaen ni gilio'n ôl ond roedd yr ail reng yn dal i danio at y gelyn. Roedd hi'n anhrefn llwyr a llawer o'n bechgyn ni'n cael eu lladd gan eu milwyr eu hunain.

Mi gawson ninnau'n dal un noson rhwng y ddwy linell flaen. Roedd y ddwy ochor yn defnyddio bwledi 'tracer' nes bod y lle'n cael ei oleuo fel dydd. Doedd ganddon ni ddim dewis ond wynebu'r gelyn ac ymladd. Roedden ni wedi cael ein paratoi'n well na nhw ar gyfer ymladd corfforol. Ond roedd ganddyn nhw lawer gwell cefnogaeth o ran hofrenyddion a thanciau ac awyrennau. Roedden nhw'n dod i mewn i'r frwydr yn sgrechian ac yn bloeddio, hyn i gyd yn rhan o'r brwydro seicolegol. Ond mi gwympodd llawer ohonyn nhw yn y frwydr honno.

Wnes i ddim cysgu o gwbl yn nyddiau olaf yr ymladd. Ar y diwedd roedden ni i fod i warchod y maes awyr, ac yn methu ymdopi ar ôl i'r Prydeinwyr dreiddio i bob man. Roedd ein milwyr ni – plant oedd y rhan fwya ohonyn nhw – wedi 'brawychu ac yn rhedeg i bob cyfeiriad. Y diwrnod cyn yr ildio roeddwn i wedi cael fy anafu, ac yn aros yn Puerto Argentino. Dyna pryd y cyrhaeddodd y Saeson yno. Mi gyhoeddwyd yr ildio am bum munud wedi naw y bore. Mi gyrhaeddodd y Saeson mewn tanc bach, a gweld baner Ariannin ac arwydd yn dweud 'Aqui no Falklands, Puerto Argentino.' Mi dynnon nhw'r faner i lawr a chodi'r *union jack* yn ei lle.

Mae'r holl bethau gludodd ein sgwadron ni adre i gofio am y rhyfel yn cael eu cadw yn y Centinela, pencadlys y *Gendarmeria* Cenedlaethol yn Buenos Aires. Yn un frwydr mi gerddon ni i mewn i ambush ar bont, mi aeth yn ymladd o un pen i'r bont i'r llall ac mi laddon ni bedwar o'r gelyn a chymryd eu heiddo nhw. Mae'r rheini i gyd yn y Centinela. Mi lwyddon ni hefyd i ddal gafael ar faner yr *Escuadron*

Alacran – dyna enw'n sgwadron ni. Roedden ni wedi bod yn ei chario trwy'r rhyfel a doedden ni ddim eisie'i cholli hi ar y diwedd. Felly mi cuddion ni hi mewn leinin côt er mwyn dod â hi adre. Mae honno hefyd wedi ei chadw yn Buenos Aires.

Roedden ni'n garcharorion yn Puerto Argentino am dri diwrnod, wedyn mi gawson ein cludo mewn cwch at y *Canberra* ac yn ôl i Ariannin. Roeddwn i ar y pumed dec, yn un o 347 o ddynion ein hadran ni. Roedd un o'r milwyr oedd yn ein gwarchod, is-gorporal oedd o, yn siarad rhywfaint o Sbaeneg. Mi ddwedodd nad oedd o ddim wedi bod o werth iddyn nhw deithio mor bell i ymladd, ac nad oedd y rhyfel ddim wedi bod o unrhyw werth i ninnau chwaith.

Ar ôl dod adre mi es yn ôl i'r *Gendarmeria* i gael archwiliad meddygol, ac ail ddechrau ar fy ngwaith. Chafodd y profiad ddim llawer o effaith arna i achos 'mod i wedi cael fy mharatoi ar ei gyfer ac yn gwybod beth oeddwn i fod i'w wneud. Roedd hi'n wahanol ar y bechgyn oedd wedi mynd yno i ganol rhyfel heb unrhyw baratoi. Fydda i ddim yn meddwl llawer am y rhyfel erbyn hyn. Ond fel mae'r dyddiadau'n dod heibio bob blwyddyn rydw i'n dal i gofio popeth mor glir. Cofio'r awyren wrth fynd allan, yn hedfan bum metr uwchben y môr rhag i'r radar ein canfod, a ninnau'n gorfod taflu'n holl eiddo allan pan oedd hi'n dal i symud … Dwi'n siwr y bydd yr ynysoedd yn eiddo i Ariannin eto ryw ddydd. Wn i ddim ymhen faint o flynyddoedd ond mae'n siwr o ddigwydd.

'Hwyrach na fydd o ddim yn fodlon ateb hwn ac yntau'n dal yn filwr,' meddwn i wrth Aira. 'Ond fasach chi'n gofyn iddo oedd hi'n werth mynd yno i ymladd?'

Daeth yr ateb ganddo ar ei ben.

Si, si, si. Mi es yno i gynrychioli fy ngwlad, i amddiffyn fy ngwlad a fy maner. Es yno i gynnig fy mywyd.

Wrth glywed hynny mae ei gyn-athrawes, yn gwenu ac yn curo'i gefn: 'Da fachgen, mi ddysgais i hyn'na i ti yn yr ysgol!'

13. DENZIL CONNICK, PONTLLANFRAITH

Ystad ddiwydiannol fechan ym Mhontllanfraith. Rhesi o unedau brown, unffurf, unllawr yn swatio yn y coed sy'n prysur ailfeddiannu cymoedd glofaol de ddwyrain Cymru. Mae'r tenantiaid yn cynnwys cwmnïau peirianneg ysgafn, gwaith cerrig, stiwdio gelf, gweithdy electroneg, caffi – ac yn eu canol, uned ddisylw, heb gymaint ag enw ar y tu allan, er bod ei gwaith yn ymestyn dros bum cyfandir. Yma mae pencadlys *SAMA 82*, creadigaeth a gweithle Denzil Connick.

Yn ddyn sgwarog, mwstasiog, dyn o ddifri ac eto'n barod ei wên, Denzil Connick yw ysgrifennydd y *South Atlantic Medal Association*. Roedd yn un o'r cyn-filwyr a sefydlodd y gymdeithas honno yn 1997 er mwyn gwarchod buddiannau'r rhai oedd wedi bod trwy'r rhyfel yn Ne'r Iwerydd 15 mlynedd ynghynt. Does neb yn gwybod yn well na Denzil am artaith y rhyfel hwnnw. Mae'n cydio yn ei ffon fagl wrth groesi'r swyddfa i wneud paned, effaith colli ei goes ar ddiwedd un o frwydrau mwyaf gwaedlyd y Falklands ar Fynydd Longdon. Roeddwn i'n gwybod am hynny'n barod, ond wyddwn i ddim, nes iddo ddweud yn ddigon didaro hanner ffordd trwy'n sgwrs, ei fod wedi 'marw' yn yr ymosodiad hwnnw cyn i'r tîm meddygol lwyddo i adfer curiad ei galon.

Mab i löwr a aeth wedyn yn weithiwr dur yw Denzil Connick. Mae ei wreiddiau'n gryf yn yr ardal lle mae'n byw heddiw, er iddo adael cartref yn 15 oed i ymuno â'r Fyddin.

Ces fy ngeni yn Nhredegar, fy nhad o Merthyr Vale yn wreiddiol a fy mam o Cendon ar bwys Oakdale. Fe symudon ni i Gasgwent pan o'n i tua wyth mlwydd o'd pan symudws 'y nhad o waith glo Oakdale i waith dur Llanwern. Ma' tri brawd gyda fi a ro'n ni'n deulu clos iawn. Do'n i ddim yn gatel cartre er mwyn mynd bant oddi wrth y teulu, ond er mwyn yr antur. Fe ymunes â'r *Junior Parachute Company* yn 15 mlwydd o'd a hynny er mwyn cal bod yn agos at awyrenne. Rodd diddordeb gyda fi yn hynny erio'd, a ro'n i'n rhy ddiamynedd i aros i ga'l ymuno â'r *RAF*. Ro'n i'n cael mynd yn ifancach at y *Parachute Company* ac yn credu, braidd yn naïf falle, y byddwn i'n cael bod yn agos at awyrenne.

Rodd Aldershot yn lle diyrth pan ymunes i gynta, a ro'n i'n meddwl 'mod i wedi gwneud camsyniad wrth fynd yno. Dodd y ddisgybleth a'r routine odd gyda ni ddim yn wahanol iawn, gredwn i, i'r hyn fydde'n digwydd yn y *Borstals* yr adeg honno, ac eto o'n i ddim yn droseddwr ifanc. Wedi gwirfoddoli i fynd yno o'n i. Rodd hyn yn 1972, ac o'n i'n dachre meddwl beth yffarn o'n i'n 'neud yn y baracs hyn.

Bues i yn y *Juniors* am ddwy flynedd a hanner a wedyn yn 17 o'd fe ymunes â'r *Regiment* llawn. Yn y *Third Regiment* o'n i a fe ddes i arfer yn gloi gyda bywyd fel *infantryman* ifanc. Ro'n i'n cael gweld y byd – Sudan, Malaya, Singapore, yr Almaen, Denmarc, Norwy, yr Eidal – cyn mynd ar y *tour* cyntaf i Armagh yng Ngogledd Iwerddon yn 1976. Rodd ca'l fy hala i Crossmaglen yn brofiad dicon brawychus i fachan ifanc. Fe golles i ffrind agos yno, gath e'i chwythu lan pan o'n ni ar patrol. Ond ar ôl ca'l ych hyfforddi'n dda ro'ch chi'n derbyn y pethe hyn, wedi ca'l ych dysgu y bydde fe'n dicwdd nawr ac yn y man. Nag o'n i'n becso gormod am y peth. A gweud y gwir ro'n i'n mynd yn fwy a mwy brwd yn y *regiment* wrth i'r miso'dd fynd hibo.

Erbyn i fi gyrra'dd y Falklands yn 1982 ro'n i'n lance corporal gyda *3-Para*, yn yr *Anti-tank Platoon*. Ro'n i'n gwitho ar WOMBAT – 'Weapon of Magnesium Anti-tank'- a hefyd yn gwitho'r radio i'r *platoon*. Fe hwylion ni yno ar y *Canberra*, odd yn brofiad newydd eto. Ro'n i'n filwr aeddfed, 25 o'd nawr, a llawer o'r cryts ifenc odd gyda fi'n ddim ond deunaw. Dodd y cryts ifanca yn y *Paras* odd i farw yn y Falklands yn ddim ond 17. Ro'n i'n 'old sweat', wedi gweld y byd a wedi gwneud ffrindie ffantastig. Ma'r ffrindie y'ch chi'n wneud yn y fyddin yn ffrindie gwirioneddol, a ma' hynny'n gwneud bywyd yn haws ar adege caled. Ochr arall y ginog yw ych bod chi'n colli ffrindie da hefyd, mewn rhyfel, ac ma' hynny'n ei gwneud hi'n anoddach i'r un sy'n dod drwyddi'n fyw allu cario baich y galar.

Ro'n ni'n un o'r tonne cynta' o filwyr i gyrradd y lan ym Mae San Carlos ar yr unfed ar hugain o Fai 1982, a sefydlu beach-head. Yn nhraddodiad gore'r *Parachute Regiment* ro'n ni ar flaen y gad, yn gwthio mla'n er mwyn difa cyment ag y gallen ni o'r milwyr Argentinian odd yn agos aton ni ar y pryd. Ond welson ni ddim llawer ohonyn nhw. Rodd yn rhaid inni fartsio am 70 milltir dros dir garw, odd bron fel bod sia thre yng Nghymru. Rodd yn braf gweld pob man yn dishgwl mor gyfarwydd, a ninne wyth mil o filltiroedd o gatre. I ni'r *Paras* rodd e bron fel bod 'nôl ar Fanne Brycheiniog, lle'r o'n ni'n gwneud y rhan fwya o'r ymarfer. Mae'n wlad galed sy'n gwthio pob unigolyn hyd yr eitha, ac yn eu gwneud nhw'n filwyr gwell yn y pen draw.

Rodd y tywydd yn uffernol, a ninne ar ddachre gaea De'r Iwerydd. Ro'n ni'n gwpod fod amser caled o'n blaene ni. Rodd byddin yr Argentinians wedi bod yno'n ddicon hir i baratoi i amddiffyn y lle. Un man fydden nhw'n ei amddiffyn odd lle o'r enw Mount Longdon, tu fas i Stanley. Rodd e'n un o nifer o lefydd, fel Tumbledown, Two Sisters a Mount Harriet, y bydde rhaid i ni eu hennill cyn gallen ni gyrradd Stanley.

Ro'n ni'n gwbod bod gyda nhw *Infantry Company* da ar Mount Longdon, yn cael eu cefnogi gan *Marine Company* da arall. Nid *conscripts* odd y rhain, ond milwyr proffesiynol. Dodd neb ohonon ni wedi cael profiad o'r rhyfel all-out yr o'n ni nawr yn ei ganol. Erbyn hyn ro'n ni'n gwpod fod ein cymdogion ni yn y *Welsh Guards* wedi cal colledion ar y *Galahad*, a rodd ein whar-fataliwn, *2-Para*, wedi bod trwy frwydr Goose Green. Ro'n ni'n gwpod yn iawn beth odd o'n blaene ni. Peth arswydus odd meddwl, wrth inni nesu at frwydr Mount Longdon, ein bod ni'n sicr o golli ffrindie os nad ein bywyde'n hunen. Rodd hynny'n frawychus. Ac eto dodd e ddim yn ein gwneud ni'n llai penderfynol. Ro'n ni'n gwpod bod rhaid i ni wneud y job, a hynny'n gloi neu fe fydden ni'n colli. A dodd hynny ddim yn rhan o psyche *3-Para*.

Ar nosweth Mehefin 11 ro'n ni ar y star line i ddachre brwydr Mount Longdon. *Fix bayonets*, a mla'n â ni i wynebu'r gelyn. Sôn am uffern ar y ddaear. Do'n i riod wedi gweld shwd beth yn 'y mywyd. Ro'n ni wedi bod yn ymarfer gyda live ammunition cyn hynny, ac wedi cael profiad o'r sŵn. Ond do'n ni ddim wedi profi'r un lefel o danio yn dod i'n hwynebe ni hefyd. Rodd hynny'n syfrdanol, yn ddychrynllyd iawn, wrth ruthro at y ffosydd a'r bunkers fel o'n ni'n gwneud. Dyna beth odd e, ymladd lleol, wyneb yn wyneb, gyda grwpie bach yn mynd trwyddo i ymladd am y safleoedd hyn, a llawer o ddynion yn marw'n sydyn iawn dros bishin bach o dir.

Fe gymerodd 12 awr i ni gal gwared â'r gelyn ar Mount Longdon. Alla i byth â disgrifio i chi'n fanwl, ergyd wrth ergyd, bopeth ddigwyddws, yn y 12 awr hynny. Rodd cyment yn dicwdd, cyment o ddewrder, sdim modd gwneud cyfiawnder â'r peth mewn sgwrs fel hon. Rodd hi, a gweud y lleia, yn frwydr gafodd ei hymladd yn ddychrynllyd o galed. Rhaid cydnabod bod y gelyn wedi ymladd yn dda. Rodd rhai ohonyn nhw'n filwyr proffesiynol ond rodd hyd yn o'd y *conscripts* hefyd yn ymladd yn galed, ac mae'n rhaid rhoi clod iddyn nhw am hynny. Erbyn diwedd yr ymladd rodd 23 o'n ffrindie i yn farw a rhyw 50 wedi anafu. Rodd llawer mwy na hynny o'r bechgyn Argentinian wedi eu lladd a'u clwyfo. Fel y gallwch chi ddychmygu felly, wrth i'r wawr dorri ar Fehefin 13 rodd bryntni'r frwydr yno i bawb ei weld ar damed o dir. Cyrff dros y lle ym mhobman. Dynion yn griddfan ac yn sgrechen o'u hanafiade. Rodd bod yn dyst i hyn oll, ar ôl cymryd rhan yn y frwydr, yn brofiad ofnadw.

Ond i Denzil roedd profiad gwaeth, un oedd i newid ei holl fywyd, eto i ddod. Er bod brwydr Mount Longdon wedi ei hennill doedd y perygl ddim drosodd.

Ro'n ni'n mo'yn gatel Mount Longdon mor gloi ag y gallen ni, ac yn paratoi i fynd ymla'n gyda'n ffrindie yn *2-Para* i gymryd lle o'r enw Wireless Ridge, cyn yr ymosodiad ola ar Stanley. Nag o'n i'n dishgwl mla'n at Stanley a'r ymladd ar yr hewlydd, ma llawer mwy'n ca'l eu lladd mewn ymladd stryd nag ar dir agored; bydde colledion ofnadw ar y ddwy ochor, a hynny'n cynnwys y civilians odd yno. Ond rodd gafel yr Argentinians ar yr ynysoedd yn gwanhau a ro'n ni'n dachre gweld diwedd y rhyfel yn dod.

Ond cyn inni allu gatel Mount Longdon ro'n nhw'n tanio aton ni. Er eu bod nhw wedi colli'r frwydr rodd eu *artillery* a'u *mortars* nhw'n sylweddoli'n bod ni nawr yn dargets iddyn nhw. A'th hyn ymla'n am ryw ddou ddwyrnod. A dyna pryd ges i 'mwrw. Wrth iddi ddachre nosi ar Fehefin 13, a ninne'n paratoi i symud ymla'n i frwydr arall yn Wireless Ridge, fe dda'th shell a chwythu ngho's i bant. Rodd 'y ngho's chwith i wedi mynd yn llwyr, uwch y ben-lin, jest o dan y glun. A rodd y go's odd ar ôl yn un cawdel gwaedlyd. Rodd yr esgyrn yn yfflon, shrapnel wedi mynd trwy'r ben-lin, a'r femur yn stico mas.

Fe arhoses i'n ymwybodol nes inni gyrradd y *field hospital*, a wedyn fe bases i mas ar ôl colli shwd gyment o wa'd. Ddwedon nhw ddim wrtho i ar y pryd, ond fe fe wnes i farw yno yn yr ysbyty. Wedyn fe lwyddon nhw i'n adfywio i. Fe dda'th yr anasthetydd yn ffrind i fi wedi 'ny, a fe ddangosodd e'r record feddygol, a pa mor wael o'n i. Rodd e'n gorfod penderfynu faint o anasthetic alle fe'i roi i fi heb yn lladd i. Un ffactor pwysig wrth wneud hynny odd faint o wa'd o'n i wedi'i golli. Rodd e'n gweud na alle fe ddim canfod pyls o gwbl, nac unrhyw bwysedd gwa'd. Felly i bob pwrpas ro'n i wedi marw. Ro'n nhw'n gorfod penderfynu os gallen nhw roi anasthetic i fi a thrial achub 'y mywyd i trwy lawdrinieth, i atal y gwaedu a chlirio'r picil dychrynllyd yn hanner isa 'y nghorff i. Mae'n rhaid eu bod nhw wedi gwneud y pethe iawn, wath rwy'n siarad 'da chi nawr!

Rwy'n cofio dod at yn hunan y dwyrnod wedi 'ny, y dwyrnod pan dda'th y rhyfel i ben. Ro'n nhw wedi'n hedfan i mas i'r llong ysbyty, *Uganda*. Ro'n i'n dal yn ddifrifol o dost, ond fe ddwedon nhw bod y rhyfel drosodd, ac rodd hynny'n rhyddhad.

O leia ro'n i'n fyw, ac ro'n i'n teimlo taw dyna fydde'r sefyllfa o leia nes bydden i'n cyrradd gatre. Yr hyn o'dd yn hala ofan arno i fwy na dim odd meddwl am farw yno, mor bell o gatre. A rodd e'n rhyddhad i feddwl na fydde dim rhagor o'n ffrindie i'n marw. Rodd dou grwt ifanc odd yn siarad gyda fi ar y pryd wedi ca'l 'u lladd gan y bom odd wedi 'mwrw i. Cyn i fi ga'l yn anafu ro'n i wedi cario cyrff llawer o ffrindie, rhai ohonyn nhw'n ffrindie agos iawn. Profiad i dorri calon rhywun yw cario cyrff eich ffrindie. Dyna'r atgofion gwaetha sydd gyda fi hyd heddi am y rhyfel. Nag yw'n anafiade i'n cyrra'dd y Richter Scale, o'u cymharu gyda'r atgofion am yn ffrindie marw.

Bu Denzil yn hwylio o amgylch yr ynysoedd ar y llong ysbyty

am fis, cyn i'r meddygon benderfynu ei fod yn ddigon cryf i hedfan i Brydain. Wedyn fe ddechreuodd y frwydr hir arall i ailadeiladu ei fywyd, yn gorfforol ac yn feddyliol.

Rodd hwn yn amser caled yn emosiynol, wrth newid o fod yn fachan ifanc eithriadol o ffit i fod yn gripil mewn cader olwyn. Ond rodd y teulu gyda fi, ac fe ddigwyddodd un peth da. Un o'r ymwelwyr cynta i ddod i 'ngweld i yn yr ysbyty odd y fenyw y byddwn i'n ei phriodi. Rodd Theresa Joyce, fel rodd hi bryd hynny, yn dod yn wreiddiol o'r Alban ac yn nyrs yn Ysbyty *St Lawrence* yng Nghasgwent, ble'r odd hi'n gwitho gyda 'mrawd. Ro'n i'n napod Theresa cyn mynd i'r Falklands, a gweud y gwir ro'n i'n ei ffansïo hi'n ofnadw yr adeg honno, ac erbyn deall rodd hithe'n ffansïo fi!

Ond fe gyrhaeddodd hi'n gloi i 'ngweld i yn yr ysbyty, odd yn beth od ar y pryd ond wedi 'ny fe esboniodd hi pam. Ar ôl clywed am yn anafiade i, rodd hi'n torri'i chalon ac yn teimlo'i fod e'n bwysig iddi ddod.

Wedyn fe wedodd ffrind i fi, 'Grinda, ma Theresa wedi gweud wrtho i shwt mae hi'n timlo amdanot ti, a mae'n bwysig bod ti'n cymryd y teimlade hynny o ddifri.' Rodd llawer o waith perswadio arno i, nag o'n i'n credu y bydde unrhyw fenyw yn y byd isie bod o ddifri gyda bachan odd wedi'i barlysu gyment ag o'n i. Ro'n i'n llawn hunan-dosturi ar y pryd. Ro'n i wedi ca'l sioc, ac eto'n hapus, bod Theresa'n cymryd cyment o ddiddordeb. Ond fe ddatblygodd ein perthynas ni ac fe briodon ni ar Fehefin 11, 1983, blwyddyn i'r dwyrnod ar ôl brwydr Mount Longdon. Y rheswm dros ddewis y dyddiad hwnnw odd 'mod i isie ca'l atgof hapus i gymryd lle atgof ofnadw. Rodd hynny'n syniad da ar y pryd, ond erbyn hyn mae'n ymyrryd gyda phenblwydd ein priodas. Pan ddylen i fod yn rhoi sylw i Theresa, bydda i'n meddwl mwy am goffáu'r frwydr!

Fe dreulies y rhan fwya o'r flwyddyn gynta honno mewn

ysbytai yn ceisio cael trefen ar lu o brobleme, nid yn unig rhai corfforol ac emosiynol ond pethe ymarferol hefyd. Ro'n i ar indefinite sick leave, yn aros i gael yn rhyddhau o'r fyddin ar sail feddygol. Dodd dim rhaid i fi atel – rodd y hen CO, y Cyrnol Hew Pike, wedi gweud y bydde gwaith ar ga'l yn *3-Para* i unrhyw un o'i fechgyn e, dim gwahanieth pa mor ddrwg o'n nhw wedi'u hanafu. Rodd hynny'n apelio ata'i ar y dachre, ond wrth i amser fynd hibo ro'n i'n dod i sylweddoli na fydde pethe byth yr un fath 'to. Ma' colli un o'ch cymale yn debyg iawn i golli perthynas agos. Ry'ch chi'n galaru am ych co's fel y byddech chi'n gwneud am berthynas. Ry'ch chi'n mynd trwy gyfnod o ffaelu credu, wedyn dicter, ac yna'n dod i dderbyn y peth. Ro'n i nawr wedi dod i dderbyn yn anabledd, odd yn rhan bwysig o wella. Unwaith ro'n i'n derbyn hynny o'n i'n gweld na alle'r Fyddin fod yn ddewis i fi byth eto. Fe fydden i'n ei chal hi'n anodd gwitho mewn stôrs neu neud gwaith gweinyddol tra'r odd yn ffrindie i'n neud yr holl bethe ro'n i wedi arfer 'u mwynhau. Bydde hynny'n neud mwy o niwed nag o les. Felly fe adawes i'r Fyddin yn 1984, blwyddyn bron ar ôl inni briodi.

Yn fuan wedyn fe gyrhaeddodd Matthew, ein mab cynta ni, gafodd ei eni ym Mehefin 1984. Fe ddilynodd ei frawd Stephen yn 1986. Ro'n i erbyn hyn wedi derbyn grant hael iawn gan y *South Atlantic Fund*. Y cyhoedd diolchgar ym Mhrydain odd wedi sefydlu'r gronfa, dodd a wnelo'r llywodraeth ddim byd â'r peth – ma' gyda'r llywodreth lawer i ateb drosto, wedwn i. Fel un o'r rhai odd wedi ca'l yr anafiade gwaetha, fe ges i swm mawr o arian, fe gyrhaeddodd y siec ar y mat fel tawn i wedi ennill y pools. A dodd dim amcan gyda fi beth i'w wneud ag e.

Rodd e'n gyfnod o newid sydyn iawn yn ein bywyde ni. O fewn blwyddyn ro'n i wedi priodi, prynu tŷ, 'y ngwraig yn feichiog, a finne wedi gatel y fyddin, er yn dal yn aelod ohoni ar bapur. Ro'n i'n colli'n ffrindie, er bod rhai ohonyn nhw'n dod i 'ngweld i'n aml. Prin bod yna benwthnos yn mynd hibo yn y chwe mis, falle'r flwyddyn gynta, heb i'n tŷ ni fod yn llawn o ffrindie o'r bataliwn. Rodd Theresa'n mwynhau eu cwmni nhw bron cyment â fi, wrth ei bodd gyda'r storiáu o'n ni'n gweud wrth ein gilydd. A rodd hyn yn bwysig i fi, yn rhan o'r broses o wella. Dim ond gyda ffrindie odd wedi bod trwy'r un peth y gallech chi sôn yn agored am eich profiade. Rodd e fel gillwn stêm – meddyliwch am pressure cooker, os y'ch chi'n cadw'r pwyse m'lan trw'r amser bydd rhywbeth yn chwythu lan. Rodd sgwrsio gyda'n ffrindie fel falf, yn gillwn tamed bach o stêm ar y tro.

Rodd rhaid i fi ddachre ennill arian, ac fe benderfynes bod rhaid i fi wneud rhywbeth hunan-gyflogedig, ond gwneud beth, odd dim amcan 'da fi. Ro'n i hefyd wedi dachre mynd yn rhy hoff o'r botel. Fe ddechreues ddau fusnes, franchise bach yn gynta, a wedi 'ny busnes garej, yn cwiro ceir odd wedi bod mewn damweinie. Methodd y ddau fusnes yn y flwyddyn gynta, ac fe golles inne lawer iawn o arian. Rodd 'na resyme am y methiant a nag o'n i'n gallu beio neb ond fi'n hunan. Ro'n i'n rhy ddiniwed, yn rhy barod i ymddiried mewn pobol heb sylweddoli bod siarcs ar hyd lle. Oherwydd 'y nghefndir i, nag o'n i wedi arfer ca'l 'y nhwyllo. Yn y fyddin fe allech chi atel eich arian ar y ford a'r drws heb ei gloi gan wpod 'i fod e'n ddiogel. Ro'ch chi'n gallu ymddiried eich bywyd i'ch ffrindie. Ond unwaith o'n i wedi ca'l yr arian am yr anafiade fe ddechreuodd y llythyre ddod. 'Smo chi'n 'y napod i ond rwy wedi ca'l syniad da, y cyfan wy mofyn yw arian, ac fe allwch chi ddod yn bartner yn y busnes, bla bla bla...' Er gwaetha hynny fe es miwn i fusnes, a llosgi 'mysedd yn ofnadw.

Fe wnes i sawl camgymeriad arall. Os bydde ffrind yn galw fe fydden i'n gatel popeth a mynd mas am gwpwl o beints heb feddwl ddwyweth. Rodd y blynyddodd hynny'n ddyddie du iawn, wrth ddishgwl 'n ôl. Bu'n agos i fi fynd yn fethdalwr, ro'n i bron â cholli fy mhriodas, fy nheulu newydd, popeth. Fe ddigwyddws hynny i lawer o'n ffrindie odd wedi bod yn y Falklands, mwy nag o'n i'n sylweddoli ar y pryd.

Y gwahanieth rhyngddyn nhw a fi odd cefnogeth y teulu. Y gynhalieth honno wnath yn achub i o le tywyll iawn, ac rwy'n arswydo wrth feddwl beth alle fod wedi dicwdd. Unweth y sylweddoles i beth odd yn dicwdd, beth o'n i bron â'i golli, ddechreues i reoli'r ifed a cha'l trefen ar 'y mywyd.

Bu'n gwerthu yswiriant bywyd ac yn gweithio fel cynghorydd ariannol – 'un cydwybodol iawn, oherwydd y gwersi caled o'n i wedi 'dysgu fy hunan' – cyn i ddirwasgiad diwedd yr wythdegau wneud hwnnw'n faes anodd. Ac yna yn 1990 daeth ergyd annisgwyl arall, yn deillio o'i anafiadau yn y Falklands.

Fe ges 'y nharo'n dost iawn unweth 'to gyda'r hyn sy'n cael ei alw'n pseudomonas, haint yn y gwa'd odd wedi bod yn gorwedd yn dormant yn fy system ers yr anafiade. Mae'n dicwdd o achos y llaid a'r rwbel sy'n ca'l eu hwthu miwn i'r corff. Ma'r bŷg yn un cyfrwys iawn, mae'n gallu gorwedd yno yn gyfrinachol am flynydde cyn penderfynu ymosod, fel y gwna'th e gyda fi. Dim ond rhyw flwyddyn cyn hynny o'n nhw wedi darganfod beth odd yn gallu'i ymladd e. Bu'n agos iawn iddo fy lladd i, felly ro'n i wedi bod yn lwcus am yr eilweth i ddod trwy'r un anafiade.

Yn fuan wedyn cafodd gyngor gan adran Pensiynau Rhyfel y Llywodraeth fod ganddo hawl i dderbyn pensiwn, fel un oedd ag anabledd o gant y cant yn deillio o'i glwyfau.

Rodd hawl gyda fi i ga'l y pensiwn o'r dwyrnod y gadawes i'r fyddin. Trw'r blynydde pan o'n i'n chwilio am ffyrdd i ennill bywolieth rodd y cyfan yn hollol ddiangen, tawn i ond wedi ca'l y cyngor iawn. Ond rodd hi'n rhy hwyr i fecso am hynny. Rodd lefel y pensiwn yn uchel iawn, oherwydd maint yr anafiade, a fe ddechreuodd 'y mywyd i wella'n ddramatig heb y pryder o orfod ennill arian. Ro'n i'n teimlo nawr bod angen i fi roi rhywbeth yn ôl.

Fe fues i'n weithgar am rai blynydde gyda SSAFA – *Soldiers, Sailors and Airmen's Families' Association.* A wedyn tua 1994 fe ofynnodd hen ffrind i fi, odd nawr yn gwitho gyda'r *Army Benevolent Fund*, o'n i eriod wedi meddwl bod angen *Veterans' Association* i'r bechgyn odd wedi bod yn y Falklands. Fe ddwedes fod hynny wedi croesi fy meddwl, a falle bod angen rhyw swyddog uchel i roi cychwyn i'r peth. Fe ddwedws 'i fod e'n credu bod y gallu gyda fi i wneud hynny fy hunan. Rodd hynny'n beth braf i'w glywed, nag o'n i eriod wedi meddwl hynny. Ond fe es ati i gysylltu gyda nifer o bobol, gan gynnwys fy hen fos Hew Pike, odd nawr yn Major General, Tony Davies, odd yn RSM yn y Gwarchodlu Cymreig a Comander Jolly. Rodd Sarah Jones, gwraig Colonel H Jones, hefyd yn gefnogol. Fe gawson ni gyfarfod bach yn nhŷ'r General, ac fe lansion ni'r *South Atlantic Medal Association* yn Ebrill 1997.

Bu Denzil yn ysgrifennydd y gymdeithas o'r dechrau, gan weithio o'i gartref cyn agor y swyddfa ym Mhontllanfraith. Er nad yw'n cael cyflog, mae'n gweithio mor ddiwyd ag unrhyw un o'i gymdogion ar y stad ddiwydiannol. Agorwyd canghennau mewn sawl rhan o'r byd ac erbyn hyn mae gan y gymdeithas 2000 o aelodau. Yn 2002, ugain mlynedd wedi'r rhyfel, fe drefnwyd pererindod yn ôl i'r ynysoedd. Roedd Denzil ymysg y 240 aelod oedd ar y daith.

O'n i wedi bod yn ddigon lwcus i fynd yn ôl i'r Falklands ddwywaith cyn hynny, ac yn gwpod cyment o les oedd hynny wedi'i wneud i fi. Fel sawl un arall rwy'n diodde o PTSD – 'Post Traumatic Stress Syndrome'. Rodd e'n arfer ca'l ei alw'n 'shell shock' a 'battle fatigue' a sawl peth arall, ond ar ôl y Falklands fe gafodd y label PTSD sy'n ddiffiniad clinigol o gyflwr gyda diagnosis pendant.

Mae *SAMA* wedi gwneud llawer o waith yn dod â'r cyflwr i sylw'r cyhoedd a gwneud yn siwr bod y rhai sy'n diodde'n cael help a thriniaeth. Ac rodd y bererindod i'r ynysoedd yn help mawr i bobol oedd yn ca'l eu poeni gan eu hatgofion am y rhyfel. Mae gweld y lle mewn heddwch, ynysoedd hardd gyda'r holl fywyd gwyllt, yn ffordd ardderchog o gau pen y mwdwl ar ddigwyddiadau 1982. Nage'u hanghofio nhw, ond edrych ymla'n i'r dyfodol heb orfod cario beichiau trwm yr atgofion am y rhyfel.

Yn wahanol i rai dioddefwyr PTSD doedd dim rhaid i Denzil fynd i gartref preswyl i gael triniaeth. Ond mae'n dweud iddo gael cynghorion gwerthfawr gan seicolegydd yng Nghaerdydd.

Y peth pwysica wna'th e odd dangos nag o'n i'n ots i neb arall oherwydd y teimlade odd yn mynd trwy fy meddwl. Ro'n i'n sicr nag odd neb o'n ffrindie yn ca'l y teimlade 'ma, ond fe ddangosodd e nag odd hynny'n wir, bod hyn yn beth hollol normal i bobol sydd wedi bod trwy brofiade rhyfedd ac abnormal. Diolch i Dduw taw dim ond cyfran fach o'r boblogeth sy'n gorfod mynd trwy bethe fel hyn. Dyna pam y'n ni'n filwyr yn y lle cynta, er mwyn arbed gweddill y boblogeth rhag y fath brofiade.

Yn 1993 cafodd Denzil daith fwy annisgwyl na'r bererindod i brifddinas Ariannin, i gyfarfod rhai o'r milwyr yr oedd wedi bod yn ymladd yn eu herbyn.

Cylchgrawn o'r enw *La Gente* – 'y bobl' – odd wedi gwahodd criw bach ohonon ni i Buenos Aires, i gyfarfod rhai o'n hen elynion yn y *Seventh Infantry Regiment*. Rodd y cylchgrawn wedyn yn sgrifennu hanes y cyfarfyddiad, rhyw fath o gymodi, mae'n debyg. Rodd gyda fi amheuon am y peth ar y dachre, ond rodd e'n gyfle i weld y wlad a rwy bob amser wedi bod yn hoffi teithio. Dim ond am dri neu bedwar diwrnod o'n ni yno, a rodd e'n brofiad rhyfedd ac emosiynol iawn, cwrdd â'r bobol o'n ni wedi bod yn ymladd yn eu herbyn nhw. Fe sylweddolon ni taw milwyr yn dilyn gorchymynion o'n ni i gyd, nag o'n ni'n bobol wleidyddol, dim ond milwyr syml. Dodd dim casineb na diffyg parch, ro'n ni'n eu parchu nhw a nhw'n ein parchu ni. Ro'n ni wedi rhannu rhai profiade na allen ni mo'u rhannu gyda neb arall, ddim hyd yn oed gyda'n teuluoedd agosaf.

Yn anffodus rodd 'na rywun wedi penderfynu bod yn rhaid ca'l pobol arfog i'n gwarchod ni, rhag ofon i rai pobol ddod i wpod ein bod ni yno. Ond nag o'n i'n teimlo o dan unrhyw fygythiad o gwbwl. Ro'n i'n teimlo'n flin dros y bobol hyn, ro'n nhw'n cael eu trin yn llawer gwa'th na ni gan eu llywodraeth. Fe gwrddon ni â'u teuluoedd, fe fuon ni'n ca'l diod gyda nhw, rodd 'na ddagrau a chofleidio a llawer o hwyl, ac rwy'n dal mewn cysylltiad gyda rhai ohonyn nhw.

Ro'n ni i gyd yn cytuno ar un peth – na ddyle'r rhyfel erio'd fod wedi dicwdd. A ro'n nhw'n cytuno gyda ni taw llywodreth Argentina odd ar fai am yr holl ddiodde a cholli bywyd, am eu bod nhw isie tynnu sylw'r wlad a'r bobol oddi wrth y trafferthion gatre. Ma' cal cymod rhwng Ariannin a Phrydain yn bwysig nawr, cyn belled nag y'n ni'n peryglu hawl yr ynyswyr i benderfynu eu tynged eu hunain.

Wrth imi godi i adael dywedodd Denzil bod yn rhaid iddo yntau adael y swyddfa am funud – i chwilio am ryw bart i'w foto beic. Wrth weld fy syndod esboniodd mai beic tair olwyn oedd hwnnw, un mawr, pwerus oedd yn rhoi llawer o bleser iddo. Gofynnais a oedd ganddo unrhyw ddiddordebau eraill, ar wahân i'w waith gyda'r cyn-filwyr. Oedd, meddai, roedd wedi dysgu hedfan, ac ennill ei drwydded peilot, ar ôl colli ei goes a chael yr holl anafiadau. 'Unrhyw beth yn ymwneud â chyflymder,' meddai, 'ac rwy wrth fy modd'. Roedd wrth ei fodd hefyd yn pysgota, ac wedi cael cyfle i wneud hynny yn ystod ei bererindod i'r Falklands.

Dyma ddyn yn mwynhau bywyd i'r eitha – y bywyd a gollodd, am gyfnod byr, yn 1982.

RHYFEL Y WLADFA

14. GOHEBYDD RHYFEL

O bob adroddiad teledu ar ryfel y Falklands/Malvinas mae yna un nad anghofia i mohono, yn rhannol am mai fi benderfynodd ei roi ar yr awyr. Rywle tua chanol yr eitem mae Russell Isaac, gohebydd 'Y Dydd', i'w weld mewn *asado*, neu farbeciw, yng nghanol ei ffrindiau ifanc, yn chwifio jwg win yn un llaw. 'Maen nhw'n dweud wrtho i,' meddai wrth y camera, 'bod yna ryw ffrae'n mynd ymlaen tua'r De rhwng Prydain ac Ariannin. Ond fan hyn ym Mhatagonia does dim byd yn bod yn y berthynas rhwng y Cymry a'r Archentwyr...' Ac i brofi'r pwynt mae'r gwin yn llifeirio a'r criw i gyd yn ymuno mewn cytgan orfoleddus o 'Salud!' ac 'Iechyd da!'

Er bod yr olygfa fwy yn ysbryd 'Wish you were Here' nag adroddiad rhyfel, does gen i ddim cof imi betruso llawer ynglŷn â'i chynnwys yn y rhaglen. Roeddwn i'n ei gweld yn gwneud pwynt angenrheidiol yng nghanol môr o jingoistiaeth, pan oedd y ddadl *kith and kin* yn cael ei defnyddio'n gyson i gorddi teimladau gwrth-Archentaidd. Mae'n deg dweud nad oedd fy mhennaeth, Geraint Talfan Davies, yn llwyr gytuno.

O edrych yn ôl, mae'n debyg fod anfon Russell i Batagonia yn benderfyniad lled feiddgar. Er nad oedd gallu gwleidyddion i reoli newyddion wedi ei pherffeithio i'r graddau y mae heddiw, roedd natur y rhyfel yn ei gwneud hi'n anoddach nag erioed i newyddiadurwyr Prydeinig fod yn annibynnol. Yr unig ffordd y gallen nhw gyrraedd y rhyfel oedd ar un o longau'r tasglu, ac roedden nhw ar drugaredd yr awdurdodau milwrol.

Prif ffynhonnell wybodaeth y rhan fwya ohonom ni adref oedd rhyw swyddog di-liw ac undonog o'r enw Ian McDonald, sbinfeistr o flaen ei oes, yn croniclo digwyddiadau'r dydd o faes y gad. Daeth yn amlwg bellach, serch hynny, bod peiriant propaganda'r Archentwyr yn ganwaith mwy camarweiniol. Mewn cymhariaeth â'r rheini byddai Gweinidog Hysbysrwydd Irac yn rhyfel 2003 yn greadur gonest a geirwir.

Yn y cyd-destun pigog hwnnw yr anfonwyd Russell Isaac i Batagonia, i ganol ffrindiau oedd yn 'elynion' swyddogol. Bu hyd yn oed yn lletya yn Buenos Aires yng nghartref dyn oedd newydd ymddeol fel uchel swyddog ym myddin Ariannin. Doedd yr awdurdodau Prydeinig ddim yn gwybod ei fod yno, heb sôn am allu dylanwadu ar ei adroddiadau.

Cyn ymuno â *HTV* roedd Russell wedi bod yn byw ym Mhatagonia fel rhan o'i gwrs prifysgol ym Mangor. Roedd wedi ennill ysgoloriaeth i astudio cymuned Gymraeg y Wladfa ar gyfer gradd MA mewn cymdeithaseg ac anthropoleg. Roedd wedi dysgu Sbaeneg ac wedi gwneud llawer o ffrindiau ymhlith ei gyfoedion.

Heddiw mae Russell Isaac yn rhedeg cwmni teledu annibynnol ym Mhenybont-ar-Ogwr gan arbenigo'n bennaf mewn chwaraeon.

Mi gododd helynt y Malvinas o fewn dwy flynedd i mi ymuno â *HTV* ar ddiwedd fy ngwaith ymchwil ar y Wladfa. Felly am wn i mai fi oedd un o'r ychydig bobol oedd yn gallu edrych ar yr holl helynt o safbwynt Ariannin ac o safbwynt Cymru. Yn ystod y flwyddyn ym Mhatagonia ro'n i wedi byw ymhlith y bobol, gan chwarae rygbi a gwneud ffrindiau yn ogystal ag astudio. Felly mi ges i ddysgu Sbaeneg, oedd yn rhoi rhyw fath o gymhwyster i fynd yn ôl yno, achos ro'n i'n gallu cyfathrebu gyda phobol y wlad oedd ddim yn gallu siarad Cymraeg na Saesneg.

Mi ddes i'n ymwybodol cyn mynd i'r Wladfa y tro cynta bod yr ynysoedd yma o'r enw Falklands i'w cael, ond tra'r oeddwn i yno ro'n i'n cael pobol yn gofyn byth a beunydd beth o'n i'n 'deimlo am y Malvinas. Felly fe ddaeth yn rhywbeth o'n i'n teimlo bod rhaid i mi ddod i wybod amdano fe a mi wnes i rywfaint o waith ymchwil i wybod beth oedd wedi digwydd yno, a'r hanes a'r datblygiadau a'r teimladau oedd gan y bobol ynglŷn â'r ynysoedd. Achos roedd pobol yn emosiynol iawn amdanyn nhw hyd yn oed yn y cyfnod hwnnw, ac eisiau i rywbeth ddigwydd. Doedd dim byd yn digwydd o safbwynt Prydain wrth gwrs, dim oll. Pan ddigwyddodd pethau bedair blynedd yn ddiweddarach doedd e ddim yn gymaint o syndod i rywun 'r un fath â fi oedd wedi bod yno, oherwydd dyfnder eu teimladau nhw. Falle'i fod e'n siom, y ffordd yr aethpwyd ati i ennill yr ynysoedd yn ôl, ond roedd rhywun yn gallu gweld pam wnaethon nhw fe – nid ei gyfiawnhau e, ond yn gallu deall rhai o'r rhesymau tu cefn i'r peth.

Pan gipiwyd ynysoedd Georgia a phan oedden nhw'n glanio ar y Malvinas, a finnau'n gweithio ym Mhontcanna gyda *HTV*, rwy'n cofio mynd i mewn at rai o 'nghyd-weithwyr i yn y cantîn un bore Llun a dau ohonyn nhw'n dweud wrtho i 'Ti yw'r boi i fynd, mae cysylltiadau 'da ti gyda pobol Patagonia, nid yn unig mae hon yn stori sy'n fyd-eang ond mae'n berthnasol tu hwnt i Gymru.' Ac rwy'n cofio mynd lan llofft a sgwrsio am y peth gyda ti ac wedyn eistedd i lawr gyda phenaethiaid yr adran, Cenwyn Edwards a Geraint Talfan Davies, a'r ddau ohonyn nhw'n dweud 'Ie, syniad da, gawn ni weld sut gallwn ni fynd yna.'

A fel'ny ddechreuodd e. Felly es i allan fel roedd y lluoedd Prydeinig yn paratoi'r tasglu i fynd yno. Roedd y tasglu wedi cychwyn ar y daith ond doedd yr ymladd ddim yn digwydd. Fi oedd un o'r newyddiadurwyr olaf i gael mynd i mewn i Ariannin, fel oedden nhw'n cau'r ffiniau. Roedd *ITN* a'r *BBC* eisoes yno ac wedyn oedd rhaid ffindio dyn camera a rhywun i helpu a chysylltu, felly ges i ddau o fy hen ffrindiau oedd yn byw yn Ariannin i wneud hynny, ac roedd y tri ohonyn ni'n gweithio ar yr eitemau.

Ro'n i yn Buenos Aires i ddechrau ac fe ddechreuon ni wneud eitemau gyda Chymry Patagonia oedd yn byw yn y brifddinas. Ro'n i'n treio cydweithio gyda bois *ITN*, a gweld nag oedd fawr iawn o ddiddordeb gyda nhw yn yr hyn oedden ni'n ei wneud. Roedden nhw'n fy ngweld i'n rhywbeth oedd yn quaint oherwydd mod i'n 'i wneud e yn Gymraeg, er 'mod i'n gwneud pethau yn Saesneg hefyd ar gyfer 'Report Wales'. Roedden nhw'n gweld y cysylltiad gyda Chymry Patagonia'n rhywbeth 'difyr' ond ddim yn beth i'w gymryd o ddifri.

Fe benderfynon ni wedyn os oedd rhaid mynd at wraidd y teimladau ym Mhatagonia bod angen mynd yno, ond roedd 'na broblemau mawr gyda chael y lluniau'n ôl i Gymru. Yr adeg honno roedd popeth yn cael ei recordio ar ffilm, nid fideo; roedd *ITN* yn meddwl bod eu heitemau dyddiol nhw yn bwysicach na'n straeon ni, a doedden ni ddim yn cael hala'n stwff yn ôl o Buenos Aires gyda'u stwff nhw. Felly roedd gyda ni olygydd ffilm, Viv Grant, yn golygu'r stwff yn Buenos Aires a rhywun yn hedfan y ffilm i Rio de Janeiro neu Montevideo, a'i anfon e i Brydain ar y lloeren o'r fan honno. Roedd Viv yn gorfod defnyddio peiriant golygu hen ofnadwy ac roedd ein ffordd ni o weithio yn amrwd iawn. Dysgu'r grefft oeddwn i ar y pryd, ac yn sicr roedd hyn yn her.

Roedd yn ddiddorol bod yno achos roedd gyda fi'r cysylltiadau gyda'r bobol, a doeddwn i ddim yn rhan o'r rhyfel propaganda oedd yn digwydd. Felly roedden ni'n gallu gwneud pethau gwahanol i ohebwyr eraill. Y cyfarwyddyd oedd i beidio ceisio cystadlu gyda *ITN* a'r *BBC*, roedd ganddyn nhw'r adnoddau a'r tîm i fynd ati i wneud eitemau newyddiadurol caled. Roedd amseriad ein gwaith ni'n golygu nad oedd unrhyw beth o'n i'n ffilmio'n cael ei ddangos am o leia bedwar diwrnod wedyn. Felly roedd rhaid gwneud eitemau nodwedd oedd yn fwy perthnasol i'r

Cymry. Dyna pam oedd rhaid mynd lawr i Batagonia, ac anfon eitemau'n ôl oedd yn wahanol ac yn rhoi safbwynt arall ar sefyllfa oedd yn dirywio o ddydd i ddydd.

Doedd y ffrwgwd ddim yn creu unrhyw broblem rhwng fy ffrindiau a finnau. Roedden ni i gyd yn ymwybodol mai ffrwgwd rhwng llywodraethau oedd e. Doedden nhw ddim yn bleidiol mewn unrhyw ffordd i lywodraeth Galtieri, roedden nhw wedi cael llond bol ar y milwyr yn teyrnasu, ac yn ymwybodol hefyd fod yna lywodraeth Geidwadol yn teyrnasu o dan Thatcher ym Mhrydain. Roedden nhw'n credu bod y ddwy ochr yn mynd i whilo am wrthdaro, rywsut neu'i gilydd roedd hynny'n anorfod, dyna oedden nhw'n 'deimlo ar y pryd. Nes i'r ymladd ddechrau, roeddwn i wir yn meddwl y byddai rhywun yn ymyrryd yn rhywle, y byddai rhyw fath o synnwyr cyffredin yn dod i mewn i'r peth. Roedd ffrwgwd wedi bod ymlaen ers blynyddoedd rhwng Ariannin a Chile dros dir y Beagle. Roedd y Pab wedi ymyrryd yn y fan honno i roi rhyw fath o benderfyniad ynglŷn â beth fyddai'n digwydd i'r tir. Roedd y Cenhedloedd Unedig hefyd wedi dod i mewn. Rywsut neu'i gilydd ro'n i'n dala i feddwl y bydde rhywbeth fel'na'n digwydd, rhywun fel yr Unol Daleithiau falle, yn troi rownd a dweud 'Wow bois, mae hyn yn hurt. Smo chi'n mynd i ymladd dros hyn i gyd.' Ond roeddwn i'n hollol anghywir. Falle bod y gwrthdaro'n anochel oherwydd mai dwy lywodraeth yn brwydro dros eu heinioes oedden nhw. Pwy bynnag fyddai'n ennill y rhyfel fyddai'n cadw'i goron fel arweinydd ei wlad.

Beth o'n i'n treio'i wneud oedd dangos bod yna safbwynt arall, bod yna rywbeth dyfnach na chweryl llywodraethol, bod yna berthnasau a chysylltiadau lawr ym Mhatagonia oedd yn mynd yn ddyfnach o lawer na'r rhethreg oedd yn digwydd ar y pryd. Treio dangos bod ganddon ni'r Cymry gyswllt arbennig iawn iawn i lawr yna a bod y bobol yma'n teimlo'r un peth; eu bod nhw'n gweld Cymru ar wahân i

Loegr, ar wahân i Brydain, ac yn treio cynnal eu diwylliant a'u Cymreictod oherwydd y cysylltiad hanesyddol hwnnw. Dwi ddim eisiau gor-ramanteiddio, ond mae'r berthynas yna'n bodoli, licwch e neu beidio. Felly y cyfan oeddwn i'n ceisio'i wneud oedd dangos i ni'r Cymry ar 'Y Dydd' a 'Report Wales' yn Gymraeg a Saesneg bod y berthynas yma'n bodoli, a bod yna bobol yn meddwl mewn ffordd arall, y tu hwnt i'r propaganda, tu hwnt i'r rhethreg, tu hwnt i'r jingositiaeth.

Dwi wedi bod yn y diwydiant teledu am dros ugain mlynedd erbyn hyn ac mae'r gwylwyr yn dal i gofio'r cyfnod ar ddiwedd oes rhaglen 'Y Dydd,' pan oedd yr eitemau yma'n mynd allan. Dwi'n credu y gwnaethon nhw argraff ar bobol. Doedd S4C ddim yn bodoli, ni oedd bron yr unig beth dyddiol oedd yn cymryd rhyw fath o safbwynt gwahanol i'r sbin Prydeinig oedd yn digwydd ynglŷn â'r holl helynt. A mae 'na lawer o Gymry'n dal i gofio a gwerthfawrogi beth oedden ni'n treio'i wneud.

Ond doedd y safbwynt hwnnw ddim wrth fodd pawb, ac fe achosodd rhai o'r cyfraniadau bryder ymysg penaethiaid y cwmni.

Rwy'n cofio gwneud un eitem yn Buenos Aires yn treio egluro beth oedd y gwahaniaeth rhwng y gair Malvinas a'r gair Falklands. Fe wnes i honno yn sefyll wrth y tŵr cloc gafodd ei roi gan lywodraeth Prydain yn anrheg i Ariannin yn y ganrif cyn dwetha. I bobol Ariannin doedd y gair Falklands ddim yn bodoli. Y Malvinas oedden nhw a dyna fe. I ni y Falklands oedden nhw a doedd y Malvinas ddim yn bod. Felly trwy ddefnyddio'r gair Malvinas roedden nhw'n dangos 'Ydyn maen nhw'n bodoli a maen nhw'n perthyn i ni.' Roedd defnydd y gair yn bwysig. Ond fe dreies i ddweud hefyd bod Malfinas yn air oedden ni'n ddefnyddio yn Gymraeg am y Falklands gydag 'f' yn lle 'v'. Ond dwi'n cofio cael stŵr am hynny achos roedd yr edict yma wedi dod allan, gorchymyn o rywle yn Llundain yn dweud nad oedd y gair Malfinas/Malvinas i gael ei ddefnyddio o gwbwl gan newyddiadurwyr. Falklands oedd i gael ei ddefnyddio bob amser fel rhan o'r frwydr bropaganda.

A'r ail eitem achosodd rywfaint o ffrwgwd oedd yr un lawr yn y Wladfa ar fferm un o'n ffrindiau i wrth ymyl Afon Camwy. Doeddwn i ddim wedi bwriadu gwneud eitem ond roedd y bois wedi'n gwahodd ni i gael *asado* [barbeciw] gyda nhw wrth lan yr afon ar ddiwedd diwrnod gwaith. Ac yno'r aeth fy nau gyd-weithiwr a finnau, y tri ohonon ni'n cael *asado* gyda'n ffrindiau. Ac ro'n i'n meddwl, on'd yw hwn yn adlewyrchiad o'r hyn sy'n digwydd yma, bod pobol yn Ariannin ar fin mynd i ryfel gyda Phrydain a dyma fi, yn Gymro, gyda ffrindiau o'r Ariannin, fel tase'r rhyfel ddim yn digwydd o gwbl. A dyma fi'n penderfynu taflu rhyw eitem at ei gilydd, darn i gamera byrfyfyr, yn dangos criw ohonon ni'n yfed gwin, a dangos bod y cysylltiadau gyda ffrindiau yn mynd i oroesi er gwaetha beth oedd yn digwydd rhwng llywodraethau. Felly mi gwnaethpwyd e, heb fod yn siwr a fydde fe byth yn gweld golau dydd, ond fe ddefnyddiwyd e. Mae gen i gof 'mod i wedi gneud yr un darn i gamera yn Saesneg ond gath hwnnw ddim ei ddefnyddio! Roedd bod yn ysgafn mewn mater mor ddifrifol yn beth peryglus falle, yn erbyn y llif yn sicr, a doedden nhw ddim eisiau dangos bod ffrindiau ganddon ni yno os oedden ni mewn sefyllfa ryfel. Dyna'r eglurhad ges i wedyn am beidio rhoi'r eitem allan yn Saesneg, ei fod yn erbyn y cyfarwyddyd oedd yn dod gan y llywodraeth, nad oedd dim byd oedd yn cael ei ddarlledu i gael peryglu'r ymgyrch oedd yn mynd rhagddi.

Cyn diwedd ei arhosiad yn y Wladfa fe ddaeth Russell yn rhan o'r newyddion ei hun. Cafodd ei arestio gan awdurdodau Ariannin a'i amau o fod yn ysbïwr.

Ar ôl inni wneud rhai o'r eitemau yn y Dyffryn roedden ni'n teimlo bod eisiau mynd draw i Gwm Hyfryd yn yr Andes er mwyn gwneud eitem am y ffrwgwd rhwng Chile ac Ariannin ynglŷn ag ynysoedd y Beagle. Felly fe aethon ni draw yno ac ar un o'r diwrnodau cynta fe gawson ni'n harestio, Fernando a finnau a'r dyn camera'n cael ein taflu i gefn wagen pan oedden ni ar ein ffordd at y ffin rhwng Chile ac Ariannin. Fe daflon nhw ni i garchar o dan amheuaeth o ysbïo. Beth oedd wedi digwydd oedd bod newyddiadurwr o'r *Sunday Times* wedi cael ei arestio'n bellach lawr i'r De, wrth Comodoro Rivadavia, am dynnu lluniau o wersyll milwrol. Ac aeth gorchymyn allan ar i unrhyw newyddiadurwyr Prydeinig eraill gael eu harestio hefyd os oedden nhw o dan amheuaeth. Ar ôl ein taflu ni i'r carchar heb reswm fe gyhuddon nhw ni o ysbïo. Yn ffodus i ni roedd tad Fernando'n gyn-gyrnol yn y fyddin yn Buenos Aires, neu wn i ddim beth fyddai wedi digwydd. Fe adawon nhw i ni ei ffonio fe ac ôl iddo fe gadarnhau pwy oedden ni, fe gawson ni'n rhyddhau, dim ond ein bod ni'n cael ein cludo'n syth i Buenos Aires ar yr awyren nesa o Esquel, gyda gorchymyn na fydden ni'n cael mynd i'r De lle'r oedd y paratoadau rhyfel yn mynd yn eu blaenau. Felly ar hanner ein gwaith fe fu raid inni ddychwelyd i Buenos Aires.

Fe ddechreuon ni wneud rhai eitemau yn Buenos Aires unwaith eto. Erbyn hyn roedden ni'n dechrau ennill ein plwy gydag *ITN*. Roedden nhw'n dechrau sylweddoli nad rhywbeth quaint oeddwn innau erbyn hyn. Ro'n i'n siarad Sbaeneg ac roedd cysylltiadau gyda'r milwyr 'da fi, trwy Fernando a'i dad. Roedd pethau'n mynd yn eitha da.

Ond un noson yn ddisymwth iawn fe ges i alwad ffôn ganol nos. Roedd hi siwr o fod yn dri o'r gloch y bore nôl yng Nghymru. Y pennaeth newyddion, Geraint Talfan Davies oedd yno, yn siarad Cymraeg 'da fi i ddechre ac wedyn troi i'r Saesneg a dweud ei fod e mewn cwmni a'i fod e eisie i hwnnw ddeall beth oedd e'n ei ddweud. Y neges oedd bod rhaid i fi adael y diwrnod canlynol beth bynnag oedd yr amgylchiadau. Roedd *rhaid* gadael. Fe dreies i resymu, 'mod i ddim mewn unrhyw fath o berygl. Os rhywbeth ro'n i'n saffach na'r rhan fwya o'r newyddiadurwyr oedd mas yna. Na! Roedd cyngor wedi dod o ffynonellau uchel iawn o fewn *HTV* bod yn rhaid gadael. Roedd yna rywbeth yn mynd i ddigwydd ac roedd yna bryder ynglŷn â 'niogelwch i. Dyna'r rheswm. Ac fe wedes i taw'r unig ffordd y gallwn i adael y bore canlynol oedd dal cwch a chroesi'r afon – Rio Plata – draw i Montevideo. Ond unwaith byddwn i mas byddai'n anodd iawn mynd nôl i Ariannin achos roedden nhw'n gwrthod gadael i bobol gyda pasports Prydeinig ddod mewn. Ond doedd dim rhesymu, roedd rhaid gadael, a chael gweld beth fyddai'n digwydd.

Bore wedyn ges i gwch yn syth draw i Montevideo, cyrraedd Uruguay, treio holi yno beth fyddai'r posibiliadau o fynd yn ôl. 'Dim o gwbl' oedd yr ateb. Doedd dim modd dal pen rheswm gyda'r Llysgennad Prydeinig yno chwaith. Doedd dim byd defnyddiol oeddwn i'n gallu'i wneud yn Uruguay, tra'r oedd digonedd o bethau faswn i'n gallu'i wneud yn Ariannin. Felly doedd dim byd i'w wneud ond hedfan gartre, taith hir a chymhleth trwy Ogledd America, Affrica a'r Swistir. Ches i ddim mynd yn ôl i Ariannin. Roedd hyn wedi bod yn dipyn o antur, ond yr adeg y byddai wedi bod fwya defnyddiol imi fod yno, roeddwn i gartre.

Pan oeddwn i'n gadael Ariannin roedd 'na bob math o sibrydion ac ofnau ar led – bod 'na fom niwclear yn mynd i gael ei danio, bod yr *RAF* yn mynd i ymosod ar Buenos Aires, eu bod nhw'n mynd i dargedu Cordoba. Ddigwyddodd dim un o'r pethau hynny. Ond y diwrnod wedyn mi suddwyd y *Belgrano*.

15. PEDAIR CYMRAES

IRMA

Un o'r llefydd amlwg i chwilio am gofnod o brofiadau a theimladau pobl Patagonia adeg rhyfel y Malvinas oedd colofnau'r *Drafod*, 'Papur Bro Cymry'r Wladfa', sydd wedi bod yn croniclo hynt a helynt y gymuned yn ffyddlon er pan gafodd ei sefydlu gan Lewis Jones yn 1891. Felly dyma deithio i'r Llyfrgell Genedlaethol a dechrau pori yn rhifynnau 1982. Codais fy ngobeithion wrth weld cyfeiriad at ymweliad fy nghyd-weithiwr Russell Isaac.

Cyrhaeddodd… ar yr union adeg pryd yr oedd Cymdeithas Dewi Sant yn gwneud pererindod i Ddyffryn y Merthyron… Gyda Russell Isaac daeth cyfres o gasetiau i ddysgu dawnsio gwerin…

Roedd yr unig gyfeiriad at y rhyfel y gallwn ddod o hyd iddo wedi ei gladdu ar dudalen 11:

Daeth cwmwl dros ein gwlad gyda'r ymladd yn y De, ond er hynny parhaodd gweithgareddau y bywyd Cymraeg…

A dyna'r cyfan. Hwyrach bod rhai profiadau'n rhy ddwfn a phersonol i'w gwyntyllu'n gyhoeddus, hyd yn oed mewn papur bro.

Yn y Gaiman galwais i weld Irma Hughes de Jones, prif lenor a bardd y Wladfa a golygydd *Y Drafod* am dalp dda o'i hoes. Bedair neu bum mlynedd ynghynt roedd wedi symud o'i hen gartre, fferm Erw Fair yn Nhreorci, i fyw at ei merch Laura a'i hwyres Rebecca. Roedd gen i rywfaint o gysylltiad â'r teulu gan fy mod yn adnabod gŵr Laura, Phil Henry, Cymro gwlatgar a direidus o Lansamlet a fu'n byw am gyfnod yn y Wladfa. Bu farw Phil yn 36 oed yn Ysbyty Treforys ar 13 Ebrill 1982, tra'r oedd y tasglu Prydeinig ar ei ffordd i Dde'r Iwerydd.

Roedd Irma yn fusgrell o gorff ond mewn hwyliau rhyfeddol o dda, a'i chof yn drysorfa o hanes y Wladfa. Roedd wrth ei bodd yn sôn am ei gwreiddiau yng Nghymru, gwlad nad oedd erioed wedi byw ynddi, ac yn cyfeirio at luniau o gwmpas yr ystafell yn dangos llefydd yn yr Hen Wlad yr oedd ganddi gysylltiad â nhw. Unwaith neu ddwy fe ganodd ganeuon yr oedd yn eu cofio o ddyddiau ieuenctid. Doeddwn i fawr o feddwl mai hwn fyddai fy nghyfle olaf i'w chyfarfod. Bu Irma farw dri mis wedyn, ar Ebrill 18, 2003.

Mi fydda i wedi bod yn golygu'r *Drafod* am hanner can mlynedd ym mis Mai, os ca i fywyd ac iechyd. Mi faswn i'n lecio medru cyrraedd yr hanner can mlynedd, wedyn ella gneith rhywun arall ei gwneud hi yn fy lle. Ro'n i'n cael cymaint o bleser yn y gwaith fel na fyddwn i byth yn arfer blino llawer. Ond dwi wedi mynd i deimlo'n flinedig rwan, a finnau'n 84 oed. Tan imi ddod i'r Gaiman a chael y cyfrifiadur mi o'n i'n ei sgwennu hi efo llaw a'i thorri hi'n ddarnau bach efo siswrn a pastio rheini wedyn ar bapur maint pob tudalen a dwad â nhw i'r lle printio.

Wnaethon ni ddim llawer o sylw o ryfel y Malvinas achos doedd o ddim yn cyffwrdd â ni yn uniongyrchol, er ei fod o'n effeithio llawer arnon ni mewn ffyrdd eraill wrth gwrs.

Mi oeddan ni'n falch iawn o'i weld o drosodd beth bynnag, achos doeddan ni ddim yn lecio meddwl bod pobol yn cael eu lladd. Amser trist iawn oedd o. Roedd mab i gyfnither i mi yno, wedi mynd i ymladd ar ochor Prydain, a mi fuo fo'n ddigon lwcus i fynd adre. 'Back home without a scratch,' medda fo.

Mi fuos i yng Nghymru yn fuan ar ôl y rhyfel. Hen deimlad cas oedd o, do'n i ddim isio llawer o gyhoeddusrwydd i'r ffaith 'mod i yno achos ro'n i'n rhyw fath o elyn yn doeddwn. Mi oedd Laura wedi colli'i gŵr ym mis Ebrill ac mi oeddan nhw'n meddwl ella mai'r rhyfel oedd wedi ypsetio Phil, achos bod y wraig a'r hogan bach yn Argentinos yn te, wedi cael eu geni yma. Mi oedd o'n poeni'n ofnadwy am hynny, ac ar ôl cael brecwast y bore hwnnw dyma fo'n codi i roi'r radio ymlaen a mi syrthiodd ar lawr, gwaed wedi torri yn ei ben o.

Wedyn mi o'n i isio mynd draw i Gymru i'w gweld nhw, ond mi fuos am fisoedd yn methu cael mynd. Mi es yn y diwedd ym mis Rhagfyr, mi fuos yno am jest i dri mis. Yr hyn oedd yn gwneud pethau'n fwy hwylus oedd bod pasbort Prydeinig gen i hefyd. Be ddeudson nhw wrtha i yn Buenos Aires yn llysgenhadaeth yr Hen Wlad oedd am imi ddefnyddio'r pasbort Argentina pan faswn i'n mynd i fyny i'r plên, a wedyn unwaith faswn i allan o'r wlad am imi ddefnyddio'r llall. A dyna be wnes i wrth gwrs. O'n i wedi cyrraedd i Gatwick ac yn trio cael siarad efo nhw adra, yn lle Laura felly, i ddeud 'mod i wedi cyrraedd ond do'n i ddim yn gallu mynd trwodd. Mi ofynnais i ryw ddynes sut i fynd allan o'r lle a mi ddeudodd wrtha i am ddilyn y saethau ac i ffwrdd â fi allan. Mi ges fws i Abertawe a do'n i ddim yn sylweddoli bod oriau pobol Prydain yn wahanol i'n horiau ni. Mae pob man yn Nhrelew yn agored tan ddeuddeg o leia, ond pan gyrhaeddais i'r lle bysys yn Abertawe roedd hi'n hanner awr wedi deg a popeth wedi cau. Mi ddaeth rhyw ŵr a gwraig o rywle a dyma fi'n gofyn be ddylwn i wneud i gael tacsi. 'Mi ffonia i,' medda fo a mi ges i dacsi i Lansamlet. Roeddan nhw wedi newid yr arian ychydig o amser cyn hynny, a'r papurau punt wedi mynd allan o fodolaeth. Doeddwn i ddim yn sylweddoli hynny. Mi rois i hen bapur punt i'r bachgen a dyma fo'n gofyn i mi 'Have you been saving love?' Ond mi oedd gen i rai o'r punnoedd newydd hefyd a mi dalais iddo fo efo un o'r rheini.

Dwi'n falch mod i wedi cael mynd i Gymru y tro hwnnw. Ro'n i wedi meddwl cael mynd wedyn ond ddaeth y cyfle ddim. A faswn i ddim yn medru mynd fel hyn mewn cadair olwyn yn na faswn.

Petha fel yna ydw i'n gofio fwya am y rhyfel. Be o'n i'n feddwl o Thatcher a Galtieri? O diar annwl, faswn i'n deud bod isio gyrru'r ddau i gwffio efo'i gilydd gan bod nhw awydd cwffio te, dyna ddylan nhw wneud. 'Gwasgar y bobl sydd dda ganddynt ryfel', dyna mae'r Beibl yn 'ddeud.

RINI

Merch y mynydd ydi Rini Griffiths. Mae'n cadw hostel o'r enw *La Chacra* – 'y fferm' – uwchlaw Esquel yn yr Andes, ac yn gwneud ichi deimlo'n gartrefol yn syth bin yng nghanol ei phlant a'i hwyrion a'i chŵn. Ond merch y Dyffryn oedd hi'n wreiddiol, wedi ei geni yn ardal Bryncrwn ger y Gaiman, cyn mentro ar draws y paith i Gwm Hyfryd yn 1963, fel y gwnaeth y Cymry cynnar bron i ganrif ynghynt. Erbyn hyn mae'n cadw cysylltiad agos â theulu yn Llanuwchllyn, er bod yna gyfnod o bron i gan mlynedd heb gysylltiad o gwbl rhwng y perthnasau yn y ddwy wlad.

Doeddwn i ddim yn gwybod bod yna berthnasau'n dal gynnon ni yng Nghymru. Mi fyddwn i'n gofyn i Nain, 'Oes 'na ddim cefnder neu gyfnither rwla yn yr Hen Wlad?' 'O wn i ddim,' medda hi. 'Dwi byth yn sgrifennu atyn nhw.' Doedd dim byd ar ôl iddi hi yng Nghymru, dyna'r teimlad o'n i'n gael, roedd popeth oedd gyda hi yma yn Ariannin.

Heddiw mae Rini yn un o'r rhai sy'n gyfrifol am adfywiad yr iaith a'r bywyd diwylliannol Cymraeg yn Esquel. Mae Canolfan Gymraeg fodern wedi ei chodi y drws nesaf i gapel Seion, yn sgîl ymgyrch hir i godi arian. Mae ysgol feithrin, dosbarthiadau nos a phob math o weithgareddau Cymraeg yn digwydd yno, a dau fleiddgi rheibus yn rhedeg yn ôl a blaen ar hyd y to fflat, i gadw drwgweithredwyr draw. Wedi ei fframio ar wal y tu mewn mae llinell o englyn Williams Parry i Neuadd Mynytho: 'Nid cerrig ond cariad yw'r meini'. Yng nghanol yr holl weithgareddau mae Rini.

Yn y dechra roeddan nhw'n ei weld o'n rhywbeth rhyfedd, doeddan nhw ddim wedi arfer ymladd am yr iaith Gymraeg. Doedd neb yn gwadu bod nhw'n Gymry na dim byd felly, ond ymladd a hel pres – roedd hwnna braidd yn fwgan. Tasan ni'n gneud rhyw gonsart yn y capel doeddan nhw ddim yn gadael i ni godi pres am fynd i mewn, mi oedd o fel pechod codi pres i fynd i'r capel. Felly roedd rhaid i ni cael rhyw ganolfan. Dan ni wedi'i chael hi rwan ac mae pawb yn hapus braf.

Mewn ardal sy'n ffinio â Chile, ac mor bell ag y medrwch chi fynd yn y Wladfa o'r Malvinas ac o Buenos Aires, doedd y rhyfel yn 1982 ddim yn cael llawer o effaith ar y cychwyn.

Fel rhyw chwarae plant oedd o i ni yn y dechra. Doedd ganddon ni ddim llawer o gydymdeimlad efo neb. Doedd dim teledu gynnon ni amser hynny, am ein bod ni'n byw chydig bach allan a dim cebl yn cyrraedd, wedyn roeddan ni'n gwrando ar y radio. Gan bod ni mor agos i Chile mae radio Chile yn dod i mewn yn hawdd iawn. Ac oedd radio Chile'n deud rhywbeth o'n i ddim wedi'i ddychmygu rioed, bod Ariannin yn colli'r rhyfel. Oeddan ni'n gwrando ar radio

Chile yn dweud bod cymint a chymint o Ariannin wedi cael eu lladd, ond wedyn gwrando ar radio Ariannin o Buenos Aires a'r rheini'n deud bod pethau'n mynd yn ardderchog ac mai nhw oedd yn lladd pawb.

Chydig iawn o'r ardal yma aeth i'r Malvinas, wedyn pan wyt ti ddim yn nabod rhywun yn agos iawn doedd y teimlad ddim yr un fath. Oeddan ni'n gwybod am un ffrind oedd wedi mynd yno a doedd mam hwnnw byth yn cael llythyron. Bachgen bach un deg wyth oed oedd o, wedi gadael yr ysgol i ddysgu bod yn filwr, ond dim dysgu chwaith. Dim ond dysgu sut i gerdded a bod yno mewn pryd. Doedd o ddim hyd yn oed wedi cysgu yn y gwersyll dros nos, dim ond mynd i'w waith yn y bore, mynd adre i ginio ac yn yn ôl wedyn yn y pnawn. Doedd o ddim yn gwybod sut i ladd na llygoden na dim. A mi oeddan ni isio'i helpu fo am 'i fod o'n ffrind, yn mynd i'r ysgol efo fy mhlant i ac yn yr un criw sgio. A mi ddaru ni benderfynu gan fod y mab 'ma mor bell a'r fam yn poeni gymint, ' bod ni'n mynd i anfon ryw becyn bach bob wythnos iddo fo a llythyr bach, pob un yn cofio ato fo, pawb yn dod at ei gilydd i helpu, un yn gweu cap, rywun arall sana gwlân, un yn anfon siocled, un arall yn gneud cacen fach, petha oedd ddim yn cymryd lot o le, eu rhoi nhw mewn bocs, sticio fo yn y post offis a'i anfon o i'r boi. Bob wythnos trwy'r rhyfel mi wnaethon ni hynny, a sgwennu lot fawr o lythyron, a chydig bach o bres hefyd ym mhob bocs rhag ofn bod o heb bres. Gath o rioed ddim un. Dim byd erioed. Na llythyr na siocled na dim.

Yn diwedd mi ddaeth y bachgen yn ôl, pan oedd popeth drosodd, mi gaethon ni'r gwir. Doeddan ni ddim yn cael y gwir ella tan ryw ddau fis ar ôl i'r peth orffen. Beth oedd radio Chile wedi bod yn 'ddeud oedd yn iawn.

Mae mam a tad y bachgen yn dal i fyw yn Esquel ond mae o wedi mynd i weithio yn Buenos Aires.

IRIS

Mae'r corff yn eiddil ac afiechyd wedi rhoi cryndod yn y dwylo, ond mae'r llais yn gadarn a phenderfynol. Yn nhŷ ei chyfnither yn y Gaiman y cefais sgwrs ag Iris Sbannaus, ond yn Buenos Aires y mae ei chartref. Yn nhŷ Iris a'i gŵr, cyn-gyrnol ym myddin Ariannin, y bu Russell Isaac ('ein mab ni o Gymru') yn aros adeg y rhyfel.

Dwi wedi cael fy ngeni yn yr Andes mewn teulu Cymraeg, Dada a Mama wedi cael eu geni fan hyn yn Ariannin. Mi oedd Nain yn byw gyda ni, roedd hi'n ferch i Lewis Jones ac roedd Taid, Llwyd ap Iwan, yn fab i Michael D. Jones. Doedd dim un ohonon ni wedi nabod Llwyd ap Iwan achos oedd o wedi cael ei ladd. Ond mi oedd mam yn siarad am ei thad trwy'r amser, mi oedd hi'n deud bod o'n ddyn modern, a be dwi wedi 'ddarllen amdano fo wedyn mae o'n codi awydd arna i i fod wedi ei nabod o, cael sgwrs efo fo. Ond dyna fo.

Yn Esquel oeddan ni'n byw ond oeddan ni wedi cael ein geni yn Cwm Hyfryd, yn y Camp [ffarm] ydan ni'n ddeud, a fan'na o'n i'n byw dros amser mynd i'r ysgol nes inni fynd i fyw i Esquel. Cymraeg oddan ni'n siarad adre ond wnes i rioed ddysgu sgrifennu na darllen yn Gymraeg, a wedyn dwi'n cofio'r iaith oeddan ni'n siarad adre, ac o achos hynny dwi ddim yn cadw'r iaith yn ddigon da, does gen i ddim digon o eiriau i ddweud sut dwi'n teimlo weithiau a mae'n codi awydd arna i i siarad Cymraeg gwell.

Wnes i briodi yn Esquel, ond achos mai milwr ydi fy ngŵr i, mi fuon ni'n byw ym mhob man. Oeddan ni'n cael ein symud bob dwy flynedd ac o achos hynny dwi'n nabod Ariannin o un pen i'r llall. Ond unwaith nath o ymddeol mi aethon ni i fyw i Buenos Aires a fan'no dan ni wedi bod am dri deg o flynyddoedd rwan. Dydi o ddim o dras Gymreig o gwbl. O'r Almaen oedd ei dad ac o Sbaen oedd ei fam. Wedyn mae'n plant ni yn… Americans! Mae nhw'n chydig bach o bopeth. Dan ni'n deulu mawr, pump o blant a maen nhw i gyd yn briod, mae gen i un deg pedwar o wyrion.

Pan dorrodd y rhyfel allan, o'n i'n gweithio amser hynny, ac o'n i'n methu deall beth oeddan nhw'n trio'i wneud. Oedd 'na mixed emotions gyda fi dach chi'n gweld, achos ryw ffordd o'n i'n licio'r peth achos o'n i'n meddwl rwan mi fyddwn ni'n cael y Malvinas lle maen nhw i fod. A wedyn o'n i'n meddwl pa fath o ryfel ydi hwn, o'n i'n gweld bod o'n rhywbeth oedd allan o bob rheswm. A wedyn mi naethon nhw ddweud anwiredd dach chi'n gweld, oddan ni'n meddwl bod petha'n well nag oeddan nhw.

Ar ôl i bopeth basio o'n i'n gweld enwau'r bechgyn oedd wedi cael eu lladd, cymint ohonyn nhw, ac i feddwl bod nhw wedi gneud rwbath fel'na er mwyn i ni beidio meddwl am beth oedd yn mynd ymlaen yn y wlad. Dydi 'ddim yn hawdd dweud beth mae rhywun yn teimlo achos dan ni'n teimlo mai ni piau'r Malvinas. Dyna ydan ni wedi'i ddysgu a dyna ydan ni'n ei gredu yn gywir. Ond wedyn weithia dwi'n meddwl be dan ni isio'r blincin ynysoedd, maen nhw'n hyll ac mae 'no gymint o wynt. A deud y gwir wnaeth Lloegr erioed feddwl am bobol y Malvinas nes daeth y busnes yma. Ond wedyn roeddan nhw'n *very important people*. A be wnaeth Thatcher efo'r *Belgrano*, oedd hynny allan o bob dim rheswm ac allan o bob teimlad. Gadael iddyn nhw sincio fel'na. Wyddoch chi, mae o'n rhywbeth nad ydw i byth yn siarad amdano fo. Dwi ddim yn licio siarad am y Malvinas achos mae o'n codi teimlad o wylltio ac yn drist ac annheg. Ond felly mae pob rhyfel am wn i.

O'n i'n gweithio ar y pryd, dwi'n Mormon dach chi'n gweld, mae gyda ni offis yn Buenos Aires i ofalu am gapeli ac adeiladau a hyn a'r llall. O'n i'n gweithio lot, roedd gen i lot o gyfrifoldebau, a wedyn roedd y plant gyda fi hefyd adre, oedd gen i lot o waith. A mi wnaeth un o'n plant ni fynd i wirfoddoli i fynd i'r Malvinas ond wnaethon nhw mo'i dderbyn o, trwy lwc. Diolch byth na wnaeth o ddim mynd yn rhyfel hir, mi wnaethon nhw ennill mewn mis neu ddau yn do.

Doeddwn i'n deall dim am y rhyfel. Cyn y rhyfel oeddan ni'n gwbod bod Malvinas yna ac oedd 'na lawer o fynd a dod, a popeth oeddan ni'n gallu'i wneud i helpu pobol y Malvinas mi oeddan ni'n ei wneud o. Oeddan nhw wedi cael planes, popeth oeddan nhw'n gael oddan nhw'n ei gael o o'r wlad yma, doeddan nhw'n cael dim byd o Loegr. A rwan ar ôl y rhyfel maen nhw'n cael popeth gan y Saeson.

Mi oedd fy ngŵr i wedi ymddeol cyn hynny, ond mi oedd o isio mynd i'r rhyfel. Mi oedd y peth i gyd mor annheg ac mor hurt a mor ddrwg. Dan ni'n studio hanes y Malvinas yn yr ysgol ac yn dysgu sut wnaethon nhw ddwyn yr ynysoedd, a'r amser hynny doedd gan Ariannin ddim digon o ddim byd i'w cael nhw'n ôl. Os ydach chi'n edrych ar fap rydach chi'n gweld sut bod yna ddarn o'r tir o dan y môr a mae'r Malvinas yn rhan o'r un tir ag Ariannin, felly ni piau nhw.

VALI

'Gofalus nawr! Nain yn gyrru!'

Mi allech fod yng nghwmni unrhyw grwt dengmlwydd yng Nghymru sydd braidd yn amharchus o'i nain, ond mewn *pick-up* y tu allan i'r *Tŷ Gwyn* yn y Gaiman yr oedden ni, a Filipe oedd yn siarad. Mae 'Nain', Vali James de Irianni, wedi trosglwyddo'r Gymraeg i'w phlant, er iddyn nhw gael eu magu yn Buenos Aires ac nad oes gan eu tad unrhyw gefndir Cymraeg. Bellach mae un o'i meibion, Ricardo, yn byw yn y Gaiman ac mae ei blant yntau'n siarad yr iaith. Eu teulu nhw sy'n cadw'r *Tŷ Gwyn*.

Er iddi dreulio'r rhan fwyaf o'i hoes yn Buenos Aires mae Vali wedi cadw mewn cysylltiad clos â'i gwreiddiau yn Nyffryn Camwy, ac roedd hynny'n arbennig o wir yn ystod cyfnod y rhyfel.

Dwi'n cofio Ebrill yr ail 1982 yn iawn. Wrth gwrs roeddan

ni'n deall ers amser ysgol bod yr ynysoedd yn ddaearyddol ac yn hanesyddol yn perthyn i Ariannin, ond yn sydyn dyma ni'n clywed bod Ariannin wedi glanio yno. Roeddan ni wedi'n syfrdanu wrth gwrs, ac yn meddwl beth fydda'r canlyniadau. Dwi ddim yn siwr beth oedd y llywodraeth yma'n ei ddisgwyl, ond os dach chi'n mynd i feddwl am hanes Prydain yn cymryd pob darn o dir oeddan nhw awydd, a'i gymryd o heb ganiatâd, roedd pob rheswm yn deud na fasan nhw ddim yn aros yn dawel, y basa 'na rywbeth mawr yn digwydd ynglŷn â bod Ariannin wedi glanio.

Wnaethon ni ddeall ar y dechrau mai dim ond mynd i'r ynys oedd y *Marines* 'ma er mwyn dangos bod gyda ni hawl arnyn nhw a'n bod ni'n gallu cymryd nhw'n ôl, a gorffen fan'ny. Dydi'r werin bobol ddim yn gwybod be sy'n digwydd rhwng y gwledydd 'ma, ond oeddan ni'n ofni na fasa'r ymateb o'r ochor arall ddim yn un hapus.

Roedd Buenos Aires lle'r ydan ni'n byw yn bell o'r ynysoedd ond mae'r Wladfa'n agos yn tydi, oeddan ni'n deall mai yma ym Mhatagonia y basa'r holl fynd a dod. Ac roedd Dada a Mama yno ar y ffarm ar y pryd, ac mewn oed. Wedyn roedd y mab, Ricardo, newydd ddod allan o'r Llu Awyr. Chafodd o mo'i alw ond dwi ddim yn siwr beth fasa wedi digwydd tasa'r rhyfel wedi mynd ymlaen ymhellach. Mae'n amlwg y basa fo wedi ufuddhau i'r drefn tasa fo wedi gorfod mynd.

Ond mi ddaru'r peth effeithio ar Dada. Roedd o'n methu deall, methu dod dros y peth, bod y rhyfel wedi dod mor agos iddo fo ar y ffarm yn Bethesda yn Nyffryn Camwy. Ac yn syth roedd y teulu'n deud wrtha i 'Mam, cer yn gwmni i Nain a Taid.' A dyna wnes i, cymryd yr awyren a mynd i Chubut. A dyna brofiad, roeddan ni'n cael ein rhybuddio cyn cyrraedd maes awyr Trelew bod rhaid i ni ddisgyn o'r awyren a peidio edrych i'r ochrau. Fel mae rhywun isio gweld pob peth, wnes i jest edrych trwy gil fy llygad a welais i bod nhw wedi codi cob mawr, a tu ôl i'r cob ma'n siwr bod yna awyrennau rhyfel. A dau filwr yn cerdded yn ôl ac ymlaen ar hyd y cob wedi cael eu gwisgo efo lliwiau'r drain. Doedd o ddim yn deimlad hapus o gwbl.

Ac roedd Dada wedi ypsetio. Fedrwn ni ddim deud yn sicr mai hynny wnaeth achosi iddo golli'i fywyd ym mis Medi 1982 ond mi wnaeth o effeithio arno fo, do.

Un effaith gafodd y rhyfel oedd bod y Cymry na ninne ddim yn gallu mynd a dod mor rhwydd rhwng y ddwy wlad. Dim bod ni'n meddwl dim byd cas tuag at y Cymry wrth gwrs, achos dim nhw oedd wedi penderfynu'r peth. Ond mi fuo 'na helynt mawr am flynyddoedd efo'r papurau, methu cael y visas 'ma ac yn y blaen.

Dwi ddim yn credu bod y Malvinas yn dda i ddim i Brydain rwan, maen nhw'n costio'n ddrud iawn iddyn nhw. Ond wrth gwrs mae'r bobol sy'n byw ar y Malvinas, mae safon eu bywyd nhw wedi gwella oherwydd sgileffaith y rhyfel. Ond mae hi wedi bod yn wahanol i ni yma, achos mae 'na graith yn does, i ni.

Doeddan ni erioed wedi cael rhyfel cynt yn ein hoes ni, er ein bod ni'n ymwybodol o'r rhyfel byd cynta a'r ail ryfel byd. Ond ar ôl '82 mi oeddan ni'n sôn am beth oedd wedi digwydd cyn y rhyfel ac ar ôl y rhyfel. Ymhen chydig o flynyddoedd wedyn mi oedd 'na rai Cymry'n dod draw ac yn y sgwrs mi fydden ni'n sôn weithiau, 'O do mi ddaeth Côr Godre'r Aran cyn y rhyfel.' Roeddan nhw'n edrych yn syn ac yn meddwl bod ni'n sôn am un o'r ddau ryfel byd. Ond am y Malvinas oeddan ni'n sôn, y Malvinas oedd ein rhyfel bach ni. I ni mae 'na ddau gyfnod pendant, cyn y Malvinas ac ar ôl y Malvinas.

16. RHYFEL Y PLANT

Bar coffi Canolfan *Chapter* yng Nghaerdydd. Bythefnos cyn fy nhaith i Batagonia es yno i baratoi'r ffordd trwy gyfarfod dyn ifanc oedd newydd wneud yr un siwrnai o'r cyfeiriad arall. Mae Walter Arial Brooks yn rhugl ei Gymraeg, mor rhugl nes ei fod yn diwtor yn ogystal â myfyriwr ymchwil yn yr Adran Gymraeg yn y Brifysgol yng Nghaerdydd.

Doedden ni ddim yn adnabod ein gilydd cynt, ac roedd *Chapter* yn eithaf prysur. Ond doedd dim rhaid dyfalu'n hir: allech chi ddim camgymryd y pryd tywyll, Lladinaidd. Cyflwynodd fi i'w wraig, Geraldine, Archentwraig o Buenos Aires oedd hefyd yn prysur feistroli'r Gymraeg er nad oes ganddi unrhyw gysylltiad teuluol â Chymru.

Naw oed oedd Walter Ariel Brooks adeg rhyfel y Malvinas. Roedd yn byw yn Comodoro Rivadavia, sydd ryw ddau gan milltir i'r de o Ddyffryn Camwy ac felly'n nes at yr ynysoedd ac yn ganolfan filwrol bwysig. Oherwydd hynny roedd atgofion Walter am y rhyfel yn fwy byw nag y byddai rhywun yn ei ddisgwyl.

Roedd fy nain yn siarad Cymraeg fel iaith gynta, ond roedd hi wedi marw pan oeddwn i'n faban. Roedd ei theulu hi'n dod o Benbedw a gwahanol rannau o ogledd Cymru ar ochr ei thad, ac o Gastell Nedd ar ochr ei mam. Felly wnes i ddim dysgu Cymraeg pan oeddwn i'n blentyn, dim nes o'n i'n rhyw ugain i ddwy ar hugain oed. Dydi fy nhad ddim yn

177

siarad Cymraeg, ond mae'n medru Saesneg, achos mi briododd fy nain â Sais ym Mhatagonia. Mae Nhad yn cofio mynd i eisteddfodau yn y Dyffryn pan oedd o'n blentyn. Ar ochr fy mam mae gen i deulu o ogledd Ariannin, sy'n fwy Sbaenaidd ac efo tipyn o wreiddiau yn yr Eidal. Tipyn bach o bopeth felly, fel pob Archentwr.

Mi ges i fy ngeni yn Comodoro, ac er nad ydi o'n bell iawn o Drelew does dim awyrgylch Cymraeg yn Comodoro, dim fel yn y Dyffryn. Dwi'n credu 'i bod hi'n iawn i'w ystyried o'n rhan o'r Wladfa oherwydd symudodd llawer o Gymry i weithio yn y diwydiant olew yn Comodoro. Dyna'r diwydiant pwysica yn yr ardal. Gweithio yn y diwydiant nwy oedd fy nhad ond mae o newydd ymddeol ac mae o wrth ei fodd!

Anghofia i byth mo'r ail o Ebrill 1982. Mi aethon ni i'r ysgol ac yn sydyn mi ddaeth y brifathrawes i mewn a dweud wrthon ni, 'Wel, fyddwch chi ddim yn cael gwersi heddiw. Mi gewch chi fynd yn ôl adre. Achos heddiw mae'r fyddin wedi ennill y Malvinas yn ôl. Felly, diwrnod rhydd i bawb,' ac mi oedd pawb yn hapus achos ein bod ni'n colli gwersi. Roeddan ni'n gwybod am y Malvinas, mae'r athrawon yn sôn am yr ynysoedd o hyd, ond doedden nhw ddim yn bwnc llosg ar y pryd. Roedden ni'n gwybod amdanyn nhw ond ddim yn poeni amdanyn nhw o gwbl. Roedden ni'n hapus oherwydd nad oedd dim gwersi, a dim mwy na hynny. Ond roedd hyn yn syndod i bawb. Doedd neb wedi disgwyl i'r fyddin fynd i'r Malvinas. Doedd dim rheswm dros fynd i'r Malvinas.

Roedd dau faes awyr pwysig i Ariannin yn ystod y rhyfel, un yn Comodoro Rivadavia a'r llall yn Rio Gallegos yn nhalaith Santa Cruz 800 cilomedr ymhellach i'r de. Rio Gallegos oedd y maes awyr agosaf i'r ynysoedd, ond o ran pwysigrwydd roedd y ddau'n gyfartal. Felly roedden ni'n poeni llawer am y rhyfel: mae 'na ysbyty milwrol yn Comodoro a diwydiant olew. Roedden ni i gyd yn meddwl y basa'r Prydeinwyr yn bomio Comodoro er mwyn dinistrio'r cyflenwad olew ac oherwydd bodolaeth y maes awyr.

Dwi'n cofio teimlo'n bod ni'n mynd trwy gyfnod peryglus iawn. Bob nos mi oedd angen diffodd y golau i gyd yn y ddinas. Roedd popeth yn dywyll, ac ym mhob rhan o'r ddinas roedd un person yn gyfrifol am ddiogelwch, yn mynd o gwmpas y tai yn gofyn os oedd popeth yn iawn ac yn atgoffa pobol o'u dyletswydd i ddiffodd y golau. Roedd rhaid i ni roi cyfar gwely ar bob ffenest. A dwi'n cofio y bydden ni'n mynd i'r archfarchnad ac yn prynu cymaint o fwyd ag oedden ni'n gallu rhag ofn na fyddai digon o fwyd ar gael. Hefyd roedden ni'n meddwl am symud i gefn gwlad er mwyn osgoi perygl y bomiau. Yn ffodus ddigwyddodd dim byd.

Un noson roedd y seirens yn canu a'r bore wedyn mi glywon ni ar y radio bod awyrennau Prydeinig wedi hedfan uwchben Comodoro Rivadavia. Dwi ddim yn gwybod os ydi hynny'n wir, ond roedd y peryg yna. Hefyd dwi'n cofio mynd i'r ysgol gyda cyfar gwely a cael sesiynau rhagymarfer. Roedd cloch yr ysgol yn canu ac roedd rhaid i bawb guddio o dan y byrddau a defnyddio'r cyfar gwely i guddio odano fe, roedd yr athrawon yn dweud wrthon ni mai dyna fyddai'n rhaid i chi wneud os byddai'r awyrennau'n dod ac yn bomio. Mewn ffordd mi oedd y cyfan fel gêm i ni. Ond ar yr ochor arall roedd o i gyd yn deimlad dipyn yn nerfus. Ar ôl inni fynd yn ôl i'r ysgol mi oeddan ni'n rhydd yn y prynhawn a dwi'n cofio chwarae gyda'r plant eraill – smalio'n bod ni mewn rhyfel. Roedd hyn yn digwydd ar bwys y draffordd a bob pnawn mi fydden ni'n gweld llwyth o loriau yn pasio yn llawn o filwyr go iawn, efo'u gynnau a bomiau a phob math o bethau.

Roedd rhai ffrindiau i'r teulu yn y fyddin ar y pryd, bechgyn ifanc dibrofiad. Dwi'n gwybod bod y fyddin ym Mhrydain yn broffesiynol iawn, hyd yn oed os ydyn nhw'n anfon bechgyn ifanc iawn i ryfel, mi fydd ganddyn nhw brofiad. Doedd hynny ddim yn wir am fechgyn Ariannin.

Yn ôl beth dwi'n 'i gofio ac wedi'i glywed roedd pawb o blaid y rhyfel ar y pryd, pawb yn hapus. Ond nawr dwi'n sylweddoli nad oes cof ganddon ni fel Archentwyr. Does dim cof ganddon ni o gwbl. Achos roedden ni'n mynd trwy gyfnod ofnadwy yr adeg honno, y cyfnod gwaethaf yn hanes Ariannin faswn i'n deud, cyfnod yr unbennaeth filwrol, pan gafodd 30,000 o bobol eu lladd, eu 'diflannu'. Roedd pawb yn gwybod bod rhywbeth o'i le ond doedd neb yn cwyno. Yn ystod y rhyfel Malvinas roedd Cwpan Bêl-droed y Byd yn Sbaen, felly roedd y rhan fwyaf o bobol yn teimlo bod Ariannin yn ennill ym mhob man, ar y maes pêl-droed ac yn y rhyfel. Y broblem fwya oedd ein bod ni i gyd yn cael ein twyllo gan y llywodraeth filwrol. Roedden ni'n clywed ar y radio ac yn gweld ar y teledu bod Ariannin yn ennill, hyd yn oed ym mis Mai ac ym mis Mehefin. Roeddan ni'n darllen papurau oedd yn dweud ein bod ni'n ennill. Wedyn y gwnaethon ni sylweddoli'n bod ni wedi bod yn gweld lluniau ffug o longau'n suddo. Ac roedden ni'n meddwl, 'Mi ydan ni'n ennill y rhyfel ac mi fyddwn ni'n cadw'r Malvinas am byth.' Ond wedyn un bore ym mis Mehefin mi ddeffrôn ni a gwrando ar y radio a chlywed bod y fyddin wedi cael ei gorchfygu ac roedden ni'n methu credu'r peth.

Roedd effaith y rhyfel yn amrywio rhwng gwahanol rannau o Ariannin. Ym Mhatagonia, er ein bod ni i gyd yn hapus roedd pawb yn poeni oherwydd ein bod ni'n agos at yr ynysoedd. Ond yn Buenos Aires doedd pobol yn meddwl am ddim ond y pêl-droed. Doedd neb yn gwybod llawer am yr ynysoedd a'r rhyfel. Roedd Maradona'n bwysicach o lawer. Roedd Geraldine fy ngwraig yn yr ysgol yn Buenos Aires ar y pryd. Does ganddi hi fawr ddim atgofion am y rhyfel. Ydi mae hi'n cofio, ond dim llawer.

Pan ewch chi i Batagonia mi fyddwch chi'n siarad gyda phobol sy'n dal i gredu ei bod hi'n bwysig i Ariannin gael y

Malvinas yn ôl. Maen nhw'n dweud bod y Malvinas yn rhan o Ariannin ac yn breuddwydio am y diwrnod y bydd y fyddin yn mynd yn ôl. Dwi'n cytuno efo'r syniad bod y Malvinas yn rhan o Ariannin achos maen nhw'n gymaint agosach at y wlad, ac o safbwynt hanes. Mae'r Saeson wedi ymyrryd ym mhob man o gwmpas y byd, felly does ganddyn nhw ddim hawl i ddeud bod yr ynysoedd yn rhan o Brydain. Dyna ydw i'n meddwl beth bynnag.

Ond dydw i ddim yn cytuno efo polisïau'r llywodraeth filwrol. Beth ydw i'n teimlo ydi bod nhw wedi dechrau'r rhyfel er mwyn cuddio pethau oedd yn digwydd yn Ariannin ar y pryd, yr holl bethau oedd o'i le. Mi wnaethon nhw gamgymeriad ofnadwy, mi anfonon nhw bobol fel ŵyn i'r lladdfa. Ar ôl i ni golli'r rhyfel does neb eisiau gofyn beth ddigwyddodd yn union, beth ydi'r gwir? Dwi'n credu bod yn well gan bawb anghofio a pheidio meddwl am y peth. Achos ar un ochr rydan ni wedi colli'r rhyfel ac ar yr ochr arall mae'r bobol i gyd, yr Archentwyr i gyd, wedi cael eu twyllo gan y llywodraeth, ac mae'n anodd wynebu'r ffaith ein bod ni wedi cael ein curo a'n twyllo. Mae Galtieri, Videla a'r holl griw oedd yn rheoli'r wlad, maen nhw i gyd yn dal yn rhydd. [Bu farw Galtieri yn Ionawr 2003]. Mi gawson nhw i gyd eu hanfon i'r carchar ar ôl i Alfonsin a'r llywodraeth ddemocrataidd ennill yr etholiad. Ond wedyn mi gawson nhw faddeuant ac maen nhw'n rhydd. Does dim cyfiawnder yn Ariannin.

Mae'n achosi poen enfawr bob tro dwi'n meddwl am Ariannin. Fy ngwlad i ydi hi ac mae gen i lawer o atgofion llawen am fy mhlentyndod. Dwi'n meddwl bob dydd am fy nheulu, fy ffrindiau, yr awyrgylch a'r ffordd o fyw, a dwi'n colli'r pethau yma i gyd. Mae'n drist iawn, ond mae'n anodd meddwl am ddyfodol da i mi a fy ngwraig yn Ariannin os na fydd rhyw newid mawr yn digwydd yn y wlad.

17. COMODORO RIVADAVIA

'Mi oedd fan hyn yn lle prysur iawn. Yma'r oeddan nhw'n dwad â'r militars ifanc o bob man i'w paratoi nhw cyn symud i'r Sowth ac ymlaen i'r Malvinas. Dim ond plant oeddan nhw. Adra wrth ochor eu mam oeddan nhw isio bod, nid cael eu gyrru allan i fan'na i gwffio. Ac i be ddiawl!'

Roedd John Benjamin Lewis, neu 'Benja', yn fy ngyrru'n araf yn ei gar Rover ar hyd y ffordd sy'n amgylchynu maes awyr Comodoro Rivadavia, y ganolfan oedd mor bwysig i beiriant rhyfel Ariannin yn 1982. Er mai hwn yw'r maes awyr sifil ar gyfer y ddinas, mae'r presenoldeb militaraidd yn amlwg iawn o hyd; milwyr arfog yn gwarchod y giatiau yn y ffens, gwersyll ymarfer y drws nesaf a chartrefi'r milwyr ar draws y ffordd. Daw Benja a finnau i'r casgliad mai annoeth fyddai imi fynd allan i dynnu lluniau.

Y sgwrs yng Nghaerdydd gyda Walter Ariel Brooks oedd wedi codi awydd arna'i i fynd i weld Comodoro Rivadavia. Dyma holi cyfeillion pan oeddwn i yn y Gaiman, ac o fewn dim roeddwn i ar y ffôn efo Benja Lewis, un o'r Gaiman yn enedigol oedd wedi symud i Comodoro yn y pumdegau i chwilio am waith. Er na wyddai pwy ar y ddaear oeddwn i, daeth gwahoddiad taer i aros yn ei dŷ. Felly dyma adael Trelew yn gynnar un bore i gychwyn ar daith bum awr ar y bws. Mae 'undonedd y paith' yn ystrydeb ac eto'n ffaith amhosib ei hosgoi. Bob tro'r oeddwn i'n agor fy llygaid ar ôl bod yn pendympian, yr un tirwedd fflat, yr un clystyrau diddiwedd o dyfiant, oedd yn ymestyn hyd y gorwel i bob cyfeiriad, fel petai'r bws heb symud cam ond bod yr olygfa'n rhuthro heibio trwy ryw rith technolegol. Yr unig amrywiaeth oedd ambell *gaucho* ar gefn ei geffyl, yn codi'i law yn serchog fel petai'r bws yn un o uchafbwyntiau ei ddiwrnod. Roedd fel mynd o Gaergybi i Gaerdydd ar hyd ffordd unionsyth heb weld na thŷ na thwlc.

Yr arwydd cynta'n bod ni'n nesu at rywle oedd ambell beiriant yn tyllu am olew o boptu'r ffordd, y breichiau'n pwmpio'n araf ond neb dynol ar eu cyfyl. Wedyn roedd rhesi o fryniau crynion tywodlyd yn ymddangos ar y chwith i ni, a rhwng y rheini caem ambell gipolwg ar y môr. Roedden ni ar gyrion Comodoro Rivadavia, dinas fwyaf Patagonia, sydd â phoblogaeth o 130,000.

Y diwydiant olew a ddenodd y rhan fwyaf o'r teuluoedd yno, a dyna fu bywoliaeth Benja Lewis am y rhan fwyaf o'i oes. Fe'm croesawodd yn llawen yn yr orsaf fysys a mynd â fi i'w gartref y tu ôl i orsaf betrol o'r enw *Eureka*, ar lain o dir rhwng môr a mynydd. Esboniodd ei fod wedi symud yma o Ddyffryn Camwy yn 1952 ar ôl cael ei brentisio'n saer coed. Roedd ganddo lun o gadair farddol yr oedd wedi ei gwneud yn ddeunaw oed ar gyfer eisteddfod yn y Wladfa. Yn Comodoro bu'n saer mewn gwaith sment cyn cael swydd gyda chwmni olew ac yn y diwedd dod yn berchen yr orsaf betrol sydd bellach yn cael ei rhedeg gan ei fab. Roedd ei hynafiaid wedi dod i'r Wladfa o Flaenau Ffestiniog: 'Mae gen i ffrind yn dal i fyw yno. Dwi ddim yn cofio'i enw ond dwi'n gwybod ei fod o'n pregethu!'

Aeth â fi ar gylchdaith o gwmpas y ddinas, sy'n cynnwys rhai adeiladau moethus, arwyddion o gyfoeth na welais mohono yng ngweddill Patagonia; ond mae yma hefyd erwau o sgerbydau diwydiannol a adawyd ar ôl wrth i gwmnïau olew mawr gefnu ar yr ardal a throi at ffynonellau mwy proffidiol yn Santa Cruz ymhellach i'r De.

Mae gan Comodoro dair cofeb i ryfel y Malvinas o fewn

canllath i'w gilydd ar lan y môr; un i bob cangen o'r lluoedd arfog. O flaen cofeb y Fyddin i'r milwyr a gwympodd, roedd gwraig frodorol yn pwyso ar ei ffon ac yn syllu'n hir ar yr enwau, cyn troi a gwneud arwydd y groes. Fedrwn i ddim peidio â thynnu'i llun, o hirbell. Ar ôl iddi fynd, ein tro ni oedd edrych ar yr enwau. Tybed oedd un ohonyn nhw'n fab iddi hi? Tynnodd Benja fy sylw at y *Clase 62* neu *Clase 63* o flaen pob enw. Roedd pob un wedi ei eni yn 1962 neu 1963, a phob un wedi marw yn 1982.

Ar wahân i'r maes awyr, y lle a deimlodd fwyaf o effaith y rhyfel oedd yr ysbyty, yr *Hospital Regional.* Lle prysur iawn yn ôl Benja.

Mi oedd 'na lawer o fynd a dod yma'r adeg hynny. I fan hyn bydden nhw'n dod â'r militars oedd wedi brifo yn y Malvinas. Ar ddiwedd y rhyfel roedd llawer o bobol yn dod yma i chwilio am eu bechgyn. Pan fydda eroplen yn cyrraedd o'r Malvinas doedd neb yn cael gwybod pwy oedd arni. Mi fydda pobol yn gofyn ac yn gofyn a neb yn deud dim wrthyn nhw, felly allen nhw wneud dim byd ond aros a dal i holi a dal i obeithio.

Mae'r Gymraeg wedi cael adfywiad yn Comodoro, wrth i rai o'r athrawon o Gymru sy'n byw yn y Gaiman deithio i'r De i gynnal gwersi i ddechreuwyr, a rhoi siawns i siaradwyr Cymraeg fel Benja ymarfer yr iaith na fyddan nhw'n cael llawer o gyfle i'w siarad. Allan ar gyrion Comodoro aeth â fi i weld canolfan arall a godwyd gan y Cymry ar gyfer nosweithiau Gŵyl Ddewi ac achlysuron eraill, gyda lle tân crwn ar gyfer *asado* y tu allan. Yn y cyntedd mae lluniau wedi eu torri allan o galendr o'r saithdegau yn dangos gwahanol olygfeydd yn yr Hen Wlad. Ar un o waliau'r neuadd mae rhes o arfbeisiau hen siroedd Cymru. Mae popeth sydd yma, gan gynnwys yr adeilad, yn ffrwyth llafur cariad dygn Archentwyr Cymraeg Comodoro, sy'n lled alltud o'r Wladfa heb sôn am Gymru. Y tu ôl i'r llwyfan mae murlun sy'n dangos castell Cymreig ar un ochr ac arfordir Patagonia ar y llall. Dros y môr rhyngddyn nhw mae'r *Mimosa'n* hwylio i un cyfeiriad a gwylan heddwch yn hedfan i'r cyfeiriad arall.

Y noson honno aeth Benja â fi i gyfarfod yr arlunydd a greodd y murlun. Cyn-athrawes yw Lila Hughes de Gastaldi, o Drelew yn wreiddiol, gyda gwreiddiau ym Mlaenau Ffestiniog ac Aberdâr. Hobi yw'r arlunio, meddai, ond mae'n amlwg iddi ei ddilyn yn ddiwyd gan fod ei darluniau ym mhobman o gwmpas ei thŷ ger canol Comodoro. Ac mae'n edrych fel arlunydd, yn echblyg a thanllyd ei sgwrs, yn enwedig pan ddaw'n fater o sôn am y Malvinas. Dros swper mewn tŷ bwyta ger yr harbwr, cefais gyfle i holi Lila a Benja, dau Archentwr y mae Cymru'n agos iawn at eu calonnau, am ryfel y Malvinas. Lila oedd y gyntaf i ddweud wrthyf bod yr awdurdodau Archentaidd yn drwgdybio rhai o Gymry'r Wladfa yn ystod y rhyfel.

Lila

Roedd o'n adeg drist iawn i bobol Gymraeg yn y Wladfa ac mi oedd pethau rhyfedd yn digwydd. Roedd 'Nhad a Mam yn hen bobol ar y ffarm yn y Dyffryn, a mi oedd 'ffrindiau' [mae'n cyfleu'r dyfyn-nodau gyda'i bysedd] iddyn nhw yn yr Armi yn mynd i'w gweld nhw. Mi fydden nhw'n gofyn 'Ar ba ochr ydach chi?' Roeddan nhwythau'n ateb 'Argentinos ydan ni ac Argentinos oedd ein tadau ni.'

Yn fan hyn yn Comodoro mi oedd pethau'n ddifrifol. Roeddwn i eisiau mynd i Buenos Aires i weld fy mab oedd yn astudio yno, doedd y plêns ddim yn cael hedfan o'r maes awyr yma o achos y rhyfel, felly roedd yn rhaid i mi yrru i Drelew yn gynta a doedd dim golau i'w weld yn unman. Mi oeddan nhw wedi bygwth y bydda fy mab yn cael ei anfon draw i'r Malvinas ac ro'n i'n meddwl efallai mai hwn fydda'r tro diweddaf i mi ei weld o. Ar y pryd mi oedd o isio mynd i'r ynysoedd. Mi oedd o wedi cael ei addysg uwchradd mewn coleg militari yn fan hyn, a mi oedd ganddo fo fwy o brofiad na'r plant oedden nhw'n eu hel i'r Malvinas. Ond trwy lwc, aeth o ddim. Pam oedd o isio mynd? Mi wnaeth o ddeud wrthaf fi 'Be dwi'n mynd i ddeud wrth fy mhlant pan fyddan nhw'n gofyn "Lle oeddat ti Dada yn amser rhyfel y Malvinas?"'

Mi oeddan ni i gyd yn cefnogi'r peth ar y pryd. Ond wedyn mi ddaethon ni i wybod mai celwydd oedd y cwbwl. Mae 'na rywbeth yn sofft yn yr Argentino. Mae o'n credu y *politicos* a mae o'n credu y militari. Ond dim pobol i'w credu ydyn nhw.

Benja

Y peth ofnadwy oedd meddwl am fachgen ifanc, mab i Gymry yn fan hyn, yn mynd i ryfel ac yn gwybod bod yna fechgyn ifanc o Gymru hefyd yn dod i gwffio ar yr ochor arall. Mae'n beth trist iawn i ni ar y ddwy ochr. Roeddan ni'n poeni amdanon ni'n hunain ac am y Malvinas, ac yn poeni am y bobl ar yr ochor arall hefyd. Roedd y peth i gyd yn boen ofnadwy i mi.

Lila

Mi fyddwn i'n mynd i ben to y tŷ weithiau adeg y rhyfel ac yn edrych allan i'r môr, ac yn dychmygu 'mod i'n gallu gweld y mynyddoedd ar y Malvinas. Doeddwn i ddim wrth gwrs, roeddan nhw'n rhy bell. Ond ychydig iawn oedden ni'n cael gwybod am beth oedd yn digwydd, a'r rhan fwya o'r pethau hynny'n gelwydd er mwyn gwneud i ni edrych yn fawr.

Dwi'n dal i feddwl rwan am sefyllfa Mrs Thatcher, ddim fel y brif ddynas ond fel dynas, fel mam. Dwi ddim yn gwbod sut ma hi'n gallu cysgu'r nos, sut mae hi'n gallu byw, a gwbod mai hi oedd wedi deud wrthyn nhw am sincio'r *Belgrano*. Y *Belgrano* oedd y peth gwaetha un. Mynd ati i ladd pobol, dim bwys be oeddan nhw na lle oeddan nhw.

Yn 1985 mi aethon ni i Ewrop, a doedd fy ngŵr i ddim isio mynd i Lundain. Doedd o ddim yn hapus o gwbwl yn Llundain. Ond mi oedd o'n teimlo'n well ar ôl iddo fo weld 'Malvinas Argentinas' wedi cael ei baentio ar wal – yn fan'no o bob man! Dwi'n meddwl rwan bod petha wedi callio, ond am dipyn o flynyddoedd wedyn ro'n i'n meddwl am fy mywyd mewn dau ran, cyn y rhyfel ac ar ôl y rhyfel.

Dwi'n gwybod mai ni piau'r ynysoedd ond dwi ddim yn teimlo llawer amdanyn nhw erbyn hyn. Dydi'n llywodraeth ni ddim yn gallu edrych ar ôl y wlad yn iawn ar hyn o bryd, heb sôn am y Malvinas.

Benja

Cyn y rhyfel mi oedd 'na dipyn o gysylltiad rhwng fan hyn a'r Malvinas. O fan hyn oedd yr eroplens yn mynd draw efo ffrwythau ffres a bob peth iddyn nhw. Mi oedd unrhyw un oedd awydd mynd yno yn gallu mynd, fel tasen ni gartre. A mi fydda pobol yr ynysoedd yn gallu dod yma i'r hospital. Ond does neb yn mynd yn ôl a blaen ar ôl y rhyfel.

Oeddan nhw'n deud ar ôl y rhyfel ein bod ni wedi colli'r Malvinas. Ond roeddan ni'r Cymry wedi colli rhywbeth arall mawr iawn. Oeddan ni ofn ein bod ni wedi colli ffrindiau o Gymru, ac yn meddwl 'Sut maen nhw'n edrych arnon ni nawr?' Ond dim ni oedd wedi gneud y peth wrth gwrs, ond pobol waeth na ni.

Lila

A dyma ni nawr, mae 'na lawer o fynd a dod eto rhwng y ddwy wlad. Dan ni'n hapus iawn bod plant o Comodoro yn gallu mynd i Gymru i astudio Cymraeg, a mae plant y Wladfa, rhai o Trelew a Gaiman, yn dechrau priodi efo bechgyn a merched o Gymru. Dwi'n credu bod hwnna fel presant i ni, ar ôl pob peth ydan ni wedi'i ddiodde o'r blaen o achos y rhyfel.

18. AR DIR Y 'GELYN'

Tra'r oedd Llynges Ariannin yn gwneud ei rhan yn yr ymdrech aflwyddiannus i adennill y Malvinas, roedd un o'i chyn-aelodau ymhell o faes y gad ac yn wynebu her wahanol – trefnu Eisteddfod Genedlaethol yr Urdd oedd yn cael ei chynnal y flwyddyn honno ym Mhwllheli. Mae'n siwr mai Elvey MacDonald oedd yr Archentwr mwyaf adnabyddus yng Nghymru ar y pryd. Ond y peth olaf ar ei feddwl, pan ddaeth i fyw yma yn y chwedegau, oedd y byddai'n dyst ryw ddydd i ryfel rhwng ei Hen Wlad a gwlad ei febyd.

Bellach mae Elvey wedi ymddeol o'i waith gyda'r Urdd, ond yn dal i fyw ger Aberystwyth. Yn enedigol o'r Gaiman, mae ganddo reswm personol iawn dros gofio rhyfel y Malvinas. Dyna pryd y cafodd ei fam, oedd yn ei saithdegau, ei holi ar dir y 'gelyn' a'i hamau o fod yn un o ysbïwyr Galtieri.

Pan ddigwyddodd yr ymosodiad cynta, ar ynysoedd Georgia, roedd Mam yn yr awyr ar ei ffordd i ddod i aros aton ni yn Aberystwyth. Roeddwn i wedi mynd i Heathrow ac yn aros amdani mewn derbynfa yn y maes awyr, ond doedd dim hanes ohoni ac rown i'n dechrau meddwl ei bod hi wedi colli'r awyren neu bod rhywbeth wedi mynd o'i le. Ond mewn gwirionedd roedd hi yno drwy'r adeg, yn cael ei chadw lan lofft a'i holi gan swyddogion. Yn y diwedd fe ges i fy ngalw dros yr uchel seinyddion a mynd i fyny at lle'r oedden nhw'n cadw Mam. Doedd dim gwên na chynhesrwydd yn wynebau'r swyddogion 'ma. Roedden nhw eisie sicrhau i ddechrau 'mod i'n nabod y fenyw, a wedyn ei bod hi'n fam i mi. Wedyn dyma nhw'n dechrau croesholi. Pam oedd hi'n dod i Gymru? Beth oedd hi am wneud yma? Oedd hi'n bwriadu aros? Oedd hi'n ymwybodol o'r sefyllfa wleidyddol? Trwy hyn i gyd roedd hi'n eistedd yn ei chadair a doeddwn i ddim yn cael mynd ati, ddim hyd yn oed yn cael ei chofleidio hi. Finnau'n trio dweud ei bod yn amlwg ei bod hi wedi trefnu'r daith cyn gwybod dim am yr helynt – roedd hi yn yr awyren pan ddigwyddodd y peth. A go brin ei bod hi'n mynd i ddechrau ysbïo yn saith deg un oed – yn Aberystwyth o bobman! Yn y diwedd fe adawon nhw iddi ddod i mewn i'r wlad.

Dywed Elvey bod clywed am ymosodiad Ariannin ar y Malvinas wedi bod yn 'sioc ac yn siom' iddo ar y pryd. Ond o'r crud roedd yn ymwybodol o'r teimlad o anghyfiawnder cenedlaethol ynglŷn â'r ynysoedd. Yn ddiweddarach fe ddaeth i sylweddoli y gallai bodolaeth y Wladfa Gymreig ym Mhatagonia fod wedi dylanwadu'n hanesyddol ar y sefyllfa a arweiniodd at y ffrae.

Roedd pob plentyn yn cael ei ddysgu, fel rhan o'r cwricwlwm addysg, am y goresgyn oedd wedi digwydd ar ddydd Calan 1833 a bod y wladwriaeth yn gwneud cais am gael yr ynysoedd yn ôl yn flynyddol byth oddi ar hynny. Roedden ni'n edrych ar y map a gweld eu bod nhw'n agos, a'u bod nhw ar yr un 'sylfaen gyfandirol' â ni, ddim allan yn y môr mawr, a'u bod nhw filoedd o filltiroedd i ffwrdd oddi wrth y wlad oedd yn honni bod yn berchennog swyddogol arnyn nhw. Doedd y ddadl ynglŷn â beth oedd dymuniad y Kelpers ddim yn croesi'n meddyliau ni! Yr unig beth oedden ni'n ei glywed oedd 'Maen nhw'n agos yn fan'na, maen nhw'n perthyn i'r tir oedd wedi cael ei etifeddu oddi wrth Sbaen.' Ond i ni yn y Wladfa roedd hynny'n ddiddorol, oherwydd efallai na fyddai'r tir yna wedi bod yn eiddo i Ariannin o gwbl oni bai i'r Cymry fynd yno i sefydlu'r Wladfa. Doedd ein rhan ni o Batagonia ddim ar y map pan sefydlwyd y Wladfa yn 1865. Cyn hynny roedd map Ariannin yn gorffen wrth y Rio Negro, a popeth i'r De yn dir neb, felly roedd yr ynysoedd yn rhan o dir neb. Bodolaeth y Cymry yn Chubut wnaeth sicrhau bod y tir hwnnw'n dod yn rhan o Ariannin. Ond doedden ni ddim yn mynd i mewn i ddadleuon fel'na yn yr ysgol!

Llongwr tir sych oedd Elvey yn ei wasanaeth milwrol: bu yn y Llynges am ddwy flynedd heb fynd yn agos at fwrdd llong. Cafodd ei hyfforddi fel telegraffydd, a threuliodd ei ail flwyddyn mewn gorsaf radio yn Nhrelew, yn anfon negeseuon am y tywydd ac yn y blaen i longau. Cyn cychwyn ar ei orfodaeth filwrol, roedd wedi dilyn cwrs athro mewn coleg addysg. Roedd un profiad a gafodd yn y Llynges yn arwydd o amrywiaeth cefndir y rhai sy'n dod at ei gilydd trwy orfodaeth filwrol, rhywbeth a ddaeth yn amlwg yng nghyswllt lluoedd Ariannin yn y Malvinas.

Do'n i ddim yn hoffi'r Llynges o gwbl, mi oedd o'n brofiad dierth i mi a doedd yr awyrgylch ddim yn un o'n i'n ei hoffi. Pan oedden ni mewn canolfan hyfforddi yn ninas Bajia Blanca, roedd 'na ysgol yno ar gyfer milwyr anllythrennog. Roedd llawer iawn o'r rheini heb gael mwy na blwyddyn neu ddwy o ysgol, wedi eu magu yn y jyngl falle, ac amryw o Buenos Aires hefyd, wedi osgoi ysgol yn ddeg oed cyn cwblhau eu haddysg gynradd, felly mi oedd 'na ysgol arbennig yn y ganolfan ar eu cyfer nhw bob gyda'r nos. Fe aeth un o'r athrawon yn sâl ac oedd 'na bump ohonon ni yn fy ngrŵp i oedd newydd orffen ein cyrsiau i fynd yn athrawon. Felly fe ofynnwyd i ni pwy oedd yn gwirfoddoli. Ac fe ges i fy newis i fynd yn athro ar fy nghyfoedion. Sôn am brofiad – wnes i byth bythoedd fynd i ddysgu ar ôl hynny!

Yr adeg honno roedd y Rwsiaid a'r Americanwyr yn anfon lloerennau i'r gofod, a phobol hefyd ar rai ohonyn nhw, ac roedden ni'n gallu gweld rhain ambell gyda'r nos. Roedden nhw'n dod fel rhyw seren wib, ond yn arafach, ac yna'n diflannu pan oedd yr haul ddim yn taro arnyn nhw ddim rhagor. Doedd gan yr hen fois 'ma oeddwn i'n trio'u dysgu ddim diddordeb o gwbwl mewn syms a llai byth mewn sgrifennu. Roedd gyda ni gwricwlwm pendant oedden ni i fod i'w ddilyn, ond pwy oedd yn mynd i sylwi? Felly fe ddwedes wrthyn nhw un noson ein bod ni'n mynd i ddysgu rhywbeth hollol wahanol, am loerennau ac yn y blaen. Doedd dim ymateb, blanc llwyr. Fe sylweddolais nad oedden nhw'n deall dim byd am y system solar – roedd 'na rai oedd ddim yn fodlon derbyn bod y ddaear yn grwn. 'Pan fyddwch chi ar y parêd heno,' meddwn i, 'edrychwch mas i edrych welwch chi'r lloerennau 'ma'n mynd heibio.' Roedd y bois mawr i gyd yn eistedd yn y cefn, a pan ddywedais i bod 'na ddynion yn y gofod roedd hynny'n ormod! Dyma'r boi mwyaf un yn codi a rhuthro i flaen y dosbarth ble'r oeddwn i'n sefyll ar lwyfan bach, a dringo i ben y llwyfan gyda'r bwriad o roi peltan i mi. Dyma finnau'n camu'n ôl mewn braw a'r bois eraill yn dod i'w ddal e'n ôl, achos roedd yn amlwg ei fod e o ddifri. Ond roedd llawer ohonyn nhw'n dal i wrthod credu beth oeddwn i'n ddweud am y gofod!

Y syniad oedd y byddai'r rhai oedd wedi cael eu hyfforddi yn gweithredu fel milwyr wrth gefn yn ystod unrhyw anghydfod am flynyddoedd wedyn. Ond roedd Elvey wedi gadael gwlad ei febyd ymhell cyn y rhyfel go iawn cyntaf yn hanes Ariannin. Daeth i Gymru am y tro cyntaf yn 1965, yr ieuengaf yn y fintai a ddaeth draw am dri mis i ddathlu canmlwyddiant sefydlu'r Wladfa. Ar ddiwedd y cyfnod, cafodd wahoddiad i astudio Cymraeg yng Ngholeg Harlech, y cyntaf o nifer o fyfyrwyr o'r Wladfa i wneud hynny. Aeth yn ôl i Batagonia ar ddiwedd ei gwrs, ond dychwelodd i Gymru yn 1968 i weithio i'r Eisteddfod

Genedlaethol, gan fwriadu aros am dair blynedd. Ond erbyn diwedd y cyfnod roedd wedi priodi ei wraig Delyth – ac mae yma o hyd. Roedd wedi hen fagu gwreiddiau yng ngwlad ei hynafiaid pan ddaeth y newydd yn 1982 bod y lluoedd arfog y bu'n eu gwasanaethu wedi ceisio ennill y Malvinas yn ôl.

Doeddwn i ddim erioed wedi rhagweld y gallai'r fath beth ddigwydd. Fe gawson ni'r drafferth gyda Mam yn Heathrow, ond ar wahân i hynny dwi ddim yn credu iddi hi gael unrhyw drafferth tra buo hi yma. Ond roedd fy mhlant i'n cael trafferth – ar y pryd roedd Camwy Prys yn 12 oed, Meleri Mair yn 11 a Geraint Llyr yn chwech. Chawson nhw ddim problem o gwbl yn yr ysgolion Cymraeg yn Aberystwyth, ond roedd 'na bethe cas a brwnt yn cael eu dweud y tu allan i'r ysgol, a'u cyfoedion yn eu galw nhw'n bob math o enwau – yr un rydyn ni'n gofio, achos ei fod e mor ddoniol, oedd 'Argie pants'! Wnaeth hyn ddim gadael creithiau o gwbwl, dwi'n credu eu bod nhw wedi llwyddo i weld ochor ddigri i'r peth. A hefyd wnaethon ni erioed gelu'r broblem, fe wnaethon ni hi'n glir bod y rhyfel yn digwydd a beth oedd ein safiad ni ynglŷn â'r peth, a pwysleisio'r angen i beidio mynd i unrhyw drafferthion, peidio dadlau na chwmpo mas efo neb.

Dwi'n cofio cael fy ngwahodd yn ystod y rhyfel i fyny i Gaernarfon i annerch criw o bobol mewn ystafell eitha llawn – Dafydd Wigley o Blaid Cymru ac Emlyn Sherrington o'r Blaid Lafur oedd y siaradwyr eraill. O'n i'n betrusgar ynglŷn â mynd yno achos do'n i ddim yn siwr beth i'w ddisgwyl ond fe ges groeso cynnes iawn. Fe ddwedais i ar y cychwyn nad oeddwn i ddim yn siwr pam oeddwn i yno ond efallai mai i gynrychioli'r gelyn! Ro'n i eisiau sefydlu ar y dechrau, 'mod i'n Archentwr, ond doedd dim problem. A ches i ddim un broblem trwy gydol yr amser.

Ond doedd pawb ddim mor lwcus. Roedd 'na ddwy Archentwraig y gwn i amdanyn nhw yn byw yng Nghymru ar y pryd. Technegydd mewn labordy oedd un, ac fe gafodd amser dychrynllyd gan ei chyd-weithwyr; a'r rheini'n griw o wyddonwyr. Roedden nhw'n gwrthod siarad efo hi a phob math o bethau. Athrawes Sbaeneg oedd y llall. Pan gerddodd hi i mewn i'r ystafell gynta roedd y disgyblion i gyd yn pwyso'u pennau ar y ddesg ac yn gwrthod codi, wedyn fe godon nhw i ganu 'God Save the Queen', a rhoi eu pennau i lawr eto gydol y wers. A fel'na fuodd hi arni am gyfnod go hir, os nad tan bod y rhyfel yn dod i ben. Roedden nhw'n ddyddiau du iawn i bobl y Wladfa a dweud y gwir.

Roedd canlyniadau ymarferol y rhyfel yn parhau am flynyddoedd, fel y canfu Elvey.

Roedd hi'n anodd iawn teithio rhwng y ddwy wlad yn y dechrau. Ond fe gafodd effaith annisgwyl arna i mor ddiweddar â diwedd yr wythdegau. Fe deithiais i Frwsel gyda dirprwyaeth o'r Urdd; ac ar y ffordd allan doedd dim trafferth o gwbwl. Ond wrth ddod yn ôl dyma'r swyddogion yn gofyn i mi wrth y ddesg yn Heathrow, wrth tsiecio'n pasports ni, 'Lle mae'ch re-entry visa chi?' Doedd dim angen visa na dim byd i fynd allan, a doedd neb yn gofyn dim byd ym Mrwsel. Efo cwmni *Sabena* oedden ni'n hedfan, ac fe ddwedwyd wrtho i wedyn eu bod nhw wedi gorfod talu dirwy o fil o bunnau am fynd â fi allan heb ddweud bod yn rhaid i mi gael visa i gael dod yn ôl. Hyn i gyd ddim ond am fod gen i basport Archentaidd. Roedd angen visa ar Archentwyr i ddod i mewn i Brydain am tua deng mlynedd ar ôl y rhyfel – rwy'n credu i hyn ddod i ben tua'r adeg yr aeth Rod Richards [gweinidog yn y Swyddfa Gymreig ar y pryd] allan i'r Wladfa.

Beth yw safbwynt Elvey ynglŷn â'r anghydfod, 21 mlynedd yn ddiweddarach? Mae'n meddwl ac yn gwenu cyn ateb.

Dwi'n cofio'r barbwr yn dweud, pan oedd e ar hanner torri 'ngwallt i, 'Gadewch nhw i'r pengwyns!' Roedd e'n credu mewn tynnu pob bod dynol allan o'r lle, a peidio codi'r un faner. Rwyf innau'n teimlo nad yw hi ddim yn werth colli unrhyw fywyd dros y lle, ond fe fyddwn i wedi dymuno gweld y cenhedloedd Unedig yn dyfarnu ynglŷn â'r berchnogaeth. Ac mae rhywbeth yn fy meddwl i'n dweud taw'r peth rhesymol i'w wneud fyddai rhoi'r ynysoedd o dan lywodraeth Ariannin. Wedi dweud hynny dydi llywodraethau Ariannin ddim wedi disgleirio yn y gorffennol yn y ffordd maen nhw wedi trin eu dinasyddion eu hunain, felly falle byddai angen cyfnod o drosglwyddo, fel bod pobol yn gallu cadw'u hawliau ac yn y blaen. Ond na, mi faswn i'n meddwl mai yn y tymor hir o dan Ariannin y dylen nhw fod. Gorau oll petai Patagonia'n dod yn annibynnol a'u bod nhw'n dod o dan Patagonia!

Roedd yn amlwg bod y ddau ohonyn nhw, Thatcher a Galtieri, wedi gwneud yr hyn wnaethon nhw er mwyn gwella'u safle nhw'u hunain yn y polau piniwn. A pan wyt ti'n meddwl beth oedd canlyniadau hynny – sef bod Thatcher yn rhoi'r holl flynyddoedd ychwanegol o lywodraeth i ni, a Galtieri'n colli gafael yn Ariannin, a hynny'n golygu bod democratiaeth yn dod yn ôl – yna dwi'n teimlo mai Ariannin gafodd y canlyniadau gorau yn y pen draw.

Y PRIS

19. TECKA

Mae wal goffa farmor yng nghanol Buenos Aires i goffáu'r Archentwyr a laddwyd yn y Malvinas, gyda dau aelod o'r lluoedd arfog yn ei gwarchod ddydd a nos. O blith y chwe chant a hanner o enwau, does dim un yn eich taro chi'n syth fel enw Cymraeg. Dim ond rhywun sy'n gyfarwydd â theuluoedd Cymraeg y Wladfa fyddai'n sylwi ar yr enw Ricardo Andres Austin. I ddeall arwyddocâd yr enw hwnnw mae'n rhaid edrych ar garreg goffa arall, chwe chan milltir ymhellach i'r De.

Mae'r gofeb honno, ar lan y môr ym Mhorth Madryn, yn rhestru'r arloeswyr a gyrhaeddodd yno o Gymru ar y *Mimosa* yng Ngorffennaf 1865. Gan fod yr enwau yn nhrefn yr wyddor, y ddau gyntaf yw Thomas a William Awstin. Dau frawd amddifad o ardal Aberpennar oedd y rhain, Thomas yn 11 oed a William yn 14. Rywbryd wedyn yn y llinach fe gafodd yr 'Awstin' Cymraeg ei Ladineiddio i 'Austin', er bod yr ynganiad yn aros yr un fath. Thomas Tegai Awstin, y brawd ieuengaf, oedd hen daid Ricardo Andres Austin.

Yn ôl y sôn roedd y ddau frawd ifanc wedi cael bywyd digon caled hyd yn oed cyn mynd ar fwrdd y *Mimosa,* ac wedi bod yn gweithio yn y pyllau glo yng Nghwm Cynon. Yn gofalu amdanyn nhw ar y fordaith roedd ffrind i'r teulu, Daniel Evans, ac roedd ei fab teirblwydd oed yntau ar y llong. Daeth y mab hwnnw, John Evans 'baqueano', yn un o anturwyr ac arweinyddion enwocaf y Wladfa. Dyma'r dyn ifanc a ddihangodd o grafangau'r Indiaid ar gefn ceffyl o'r enw Malacara wedi i'w ffrindiau gael eu llofruddio yn Nyffryn y Merthyron.

Daeth Thomas Tegai Awstin hefyd yn flaenllaw ym mywyd Cymraeg Patagonia. Bu'n aelod o Gyngor Tref Rawson ac yn rheolwr cyntaf Cwmni Masnachol Camwy, cyn symud i Gwm Hyfryd yn yr Andes lle'r oedd yn un o sylfaenwyr Capel Seion yn Esquel. Cafodd ei wraig Mary Williams ac yntau ddeg o blant. Heddiw mae un o'i or-wyrion, Jorge Austin, yn cadw tŷ te o'r enw *Melys* yn Esquel, ac yn un o gefnogwyr gweithgar y Ganolfan Gymraeg. Perthynas arall yw Elvira Moseley sy'n byw yn Aberafan; fel Elvira Austin daeth i astudio yng Ngholeg Harlech yn y chwedegau a dod yn adnabyddus fel cantores.

Yn y *pick-up* gyda Vali James de Irianni a'i gŵr Jorge y teithiais i ar draws y paith o'r Gaiman i Gwm Hyfryd. Doedd y siwrnai 400 milltir ddim hanner mor llafurus nac anturus â'r un fyddai wedi wynebu'r hen Gymry, nac mor undonog â'r un yr oeddwn wedi bod arni cynt, o Drelew i Comodoro. Cewch gwmni Afon Camwy am lawer o'r daith, mae'r ffordd yn tyrchu trwy greigiau tywodfaen trawiadol, ac mae Dôl-y-plu a Rhyd-yr-Indiaid yn llefydd diddorol i dorri'r siwrnai.

Ond cyn cyrraedd Cwm Hyfryd roedd un alwad bwysig i'w gwneud. Y pentre cynta o unrhyw faint y dowch iddo, a hynny wedi oriau o deithio, ydi Tecka. Gallwch weld yr Andes o'ch blaen yn y pellter ac mae arwyddion bod tir mwy ffrwythlon i ddod – ond ddim eto. Fe achosodd yr ardal hon gyffro unwaith ymysg y Cymry pan gafwyd hyd i lwch aur yn y bryniau. Ond ddaeth Tecka erioed yn Klondyke, a'r peth olaf y byddai neb yn ei gysylltu â'r pentref heddiw yw cyfoeth.

Er mor dlodaidd yw llawer o'r strydoedd mae'r ysgol – Ysgol Rhif 17 – yn adeilad modern a digon llewyrchus yr olwg. Gwraig sy'n gweithio yn yr ysgol ac yn byw yn yr un stryd oedd ein rheswm dros alw. Roedd Celinde Espinoza de Austin wrth y giât yn aros amdanom. Hi yw mam Ricardo Andres Austin, y llanc o dras Gymreig a gollodd ei fywyd yn y Malvinas.

Roedd ei chymar yn fethedig ac yn eistedd o flaen y teledu, a phlant ac wyrion direidus ym mhobman, am y gorau i'n helpu. Trwy'r daith i gyd dyma'r un sefyllfa lle'r oeddwn i'n fwyaf edifar na fyddwn wedi gwneud mwy o ymdrech i ddysgu Sbaeneg cyn gadael Cymru. Roedd hi'n edrych i fyw fy llygad wrth sgwrsio am ei mab, rhyw urddas tawel, bonheddig yn perthyn iddi, a finnau'n synhwyro'r ystyr heb ddeall y geiriau.

Esboniodd, trwy Vali, mai dim ond ychydig wythnosau ynghynt yr oedd wedi dechrau derbyn y pensiwn rhyfel oedd yn ddyledus iddi gan y wladwriaeth yn iawndal am golli ei mab. Roedd hyn yn Nhachwedd 2002, 21mlynedd wedi'r rhyfel. Newydd gyrraedd hefyd oedd yr adroddiad swyddogol yn disgrifio amgylchiadau ei farwolaeth ym mrwydr Darwin a Goose Green. Ond roedd hi'n falch o'r adroddiad hwnnw, er mor foel:

Dewiswyd y Rhingyll GARCIA a'r milwyr AUSTIN ac ALLENDE i agosáu at y gynnau-peiriant Seisnig er mwyn eu tawelu gyda'r gynnau awtomatig MAG. Er mwyn cyflawni hyn roedd yn rhaid iddynt groesi gwifren bigog oedd o boptu llwybr. Yn y fan honno y cawsant eu darganfod, wedi eu rhidyllu gan y gynnau-peiriant. Lladdwyd y ddau filwr yn y weithred honno...

Dywedodd Vali wrthi fy mod i wedi cyfarfod rhieni bachgen o Lanberis oedd wedi colli'i fywyd ar yr ochr arall yn y rhyfel. 'Gobeithio'u bod nhw wedi cael yr un cryfder ag a gefais i i wynebu'r sefyllfa,' meddai.

Dringodd un o'r plant i ben cadair i estyn llun o Andres yn ei lifrai milwrol. Aeth yn gystadleuaeth rhyngddyn nhw i gael gafael ar dystysgrifau a dogfennau yn ymwneud â'i antur yn y Malvinas. Yn eu plith roedd medal blastig yn cydnabod ei ddewrder. Aeth ei fam ati i adrodd hanes y mab na ddaeth yn ôl:

Roedden ni'n arfer byw yn nhŷ fy nhad yng nghyfraith,

Jorge Austin yn Nhrevelin, fy ngŵr a finnau a'n pedwar mab. Mary Hughes oedd enw fy mam yng nghyfraith ond wnes i erioed ei hadnabod hi. Pan fu farw fy ngŵr fe symudon ni i Tecka. Yma yn Ysgol Rhif 17 y cafodd y plant i gyd eu haddysg.

Mae un ferch briod yn byw yn Mar de Plata ac un arall yn cadw siop yn Nhrelew. Aros adre i weithio ar y tir wnaeth Andres yn bennaf, ond pan oedd o'n 18 oed mi aeth i wneud ei wasanaeth milwrol yn Sarmiento. Ar y cynta o Chwefror 1982 mi listiodd yng *Nghatrawd 25, Inffantri Sarmiento*. Ar 29 Mawrth mi hwyliodd am y Malvinas. Y bwriad oedd iddyn nhw lanio yno ar 2 Ebrill ond oherwydd problemau technegol mi gawson nhw'u dal yn ôl. Felly mi laniodd yno mewn hofrennydd ar y pedwerydd o Ebrill. Yno y buo fo hyd at 28 Mai pan gafodd ei ladd ym Mrwydr Darwin ym mheithdiroedd Goose Green. Felly pedwar mis oedd o wedi bod yn y fyddin, dau o'r rheini ar y Malvinas. Mi gawson ni dipyn o'r hanes ganddo fo yn ei lythyrau.

Mi ddaeth 'na bedwar neu bump o lythyrau ganddo fo i gyd. Roedd o'n gofyn i mi yrru melysion, siocled, teisennau a dillad cynnes iddo fo. Roedd o'n cwyno nad oeddan nhw ddim yn cael gwybod beth oedd yn digwydd yn y rhyfel, ac nad oedden nhw ddim yn cael caniatâd i ddweud wrth eu teuluoedd beth oedd yn digwydd o'u cwmpas nhw. Ond roedd o'n awgrymu i mi ei fod o'n profi pethau erchyll iawn. Mi ddwedodd yn ei lythyr olaf o Darwin fel oedd o a'i gyd-filwyr wedi cael gorchymyn i adael mewn lorïau. Doedd ganddo fo na'r milwyr eraill ddim syniad i ble'r oedden nhw'n mynd na beth oedd yn digwydd. Mi fues i yn y Malvinas wedyn yn gweld y beddau ac mi ddywedon nhw wrthon ni bod brwydr Goose Green wedi dechrau ar doriad y wawr ar 27 Mai. Y diwrnod wedyn y trengodd Andres. Roedden nhw'n dweud bod hon wedi bod yn frwydr galed iawn, un o'r rhai caletaf yn y rhyfel.

Ar ddiwedd y rhyfel doeddwn i'n clywed dim o'i hanes,

doedd gen i ddim syniad beth oedd wedi digwydd iddo fo. Mi fyddwn i'n mynd at yr heddlu i holi am ryw wybodaeth, ac yn dal i glywed dim byd. Roedd hi'n fis Gorffennaf cyn i mi glywed ei fod o wedi cael ei ladd. Roedd dau fis wedi mynd heibio, a dyna pryd y cyrhaeddodd llythyr oddi wrth y Lefftenant yn Sarmiento. Roedd o'n disgrifio gweld Andres yn rhuthro at wn-peiriant y gelyn ac yna'i weld o'n disgyn. Roedd nifer o rieni eraill yn cael disgrifiad tebyg am eu meibion yr adeg honno, ond wedyn mi ymddangosodd rhai o'r rheini yn fyw.

Mi ddaeth rhywun o'r Gatrawd yn Sarmiento yma i 'ngweld i, a fy ngwahodd i fynd ar daith oedd wedi cael ei threfnu i'r Malvinas. Roedd 'na grŵp o 21 ohonon ni ar y daith honno, gyda thywysydd, yn gweld y gwahanol lefydd ar yr ynysoedd. Mi welais i'r fan ble cafodd Andres ei ladd, ac mi fuon ni yn y fynwent. Ond doedd dim posib cael hyd iddo fo, doedd 'na ddim enwau ar y rhan fwyaf o'r beddau. Dwi'n credu bod yna 234 o feddau i gyd, yn filwyr ifanc, lefftenants, peilotiaid. Ychydig iawn o enwau oedd 'na.

Mi gawson ni ddisgrifiad o amgylchiadau'r milwyr gan ein tywysydd. Roedden nhw'n oer, yn newynog ac mewn cyflwr truenus medda fo. Doedd y dillad ysgafn oedd ganddyn nhw ddim yn addas, a doedd y bwyd a'r dillad cynnes oedden ni'n eu hanfon atyn nhw ddim yn cyrraedd. Roedden nhw'n mynd cyn bellad â Puerto Argentino ac yno roedden nhw'n aros.

Yn ystod yr un daith mi gawson ni fynd i Buenos Aires, lle mae o wedi ei restru ymhith y meirwon roddodd eu bywydau dros y Weriniaeth yn y Malvinas. Mi addawon nhw y bydd hi'n bosib i ni fynd yn ôl i'r Malvinas unrhyw adeg eto i weld y beddau.

Fo oedd yr unig un o Tecka aeth i'r Malvinas. Mi ddwedodd yn un o'i lythyrau ei fod o'n hapus i fynd yno i ymladd dros y Weriniaeth. Maen nhw wedi addo ers blynyddoedd eu bod nhw am godi cofeb iddo fo yn y pentre, ond dydi hynny ddim wedi digwydd hyd yn hyn.

20. LLANBERIS

Does dim gwaith sy'n gasach gan newyddiadurwyr na churo ar ddrws pobl sydd newydd gael profedigaeth, a cheisio canfod ffordd waraidd i ofyn sut maen nhw'n teimlo. Yn amlach na pheidio fyddan nhw erioed wedi cyfarfod y galarwyr o'r blaen, a bydd unrhyw fynegiant o gydymdeimlad yn swnio'n ffug. Ond mewn sefyllfa felly, ar raglen 'Y Dydd', y cafwyd un o gyfweliadau mwyaf cofiadwy rhyfel y Falklands. Roedd teulu o Lanberis newydd glywed bod eu mab, Raymond, ymhlith y rhai a gollwyd pan suddwyd yr *HMS Ardent*.

'Beth aeth trwy'ch meddyliau chi?' holodd y gohebydd. 'Mi ddeuda i wrthoch chi'n onest,' meddai tad Raymond trwy ei ddagrau. 'Meddwl wnaethon ni am rieni'r hogia bach 'na ar y *Belgrano*. Mae 'na bedwar cant o'r rheini wedi'u lladd.' 'Y golled!' meddai'r fam. 'Ia,' meddai'r tad. 'A dwi'n ei weld o'n golled i ddim byd.'

Chef 24 oed oedd John Raymond Roberts. Roedd yn un o 23 a gollodd eu bywydau pan ymosododd Awyrlu Ariannin ar yr *Ardent* ar Fai 21 ger San Carlos rhwng y ddwy brif ynys. Fo oedd yr ail o dri o blant Thomas John ac Eileen Roberts. Heddiw mae Mr a Mrs Roberts yn dal i fyw yn yr un tŷ yn Llanberis, reit wrth droed yr Wyddfa a'r drws nesaf i orsaf y trên bach. Ond mae mwy o naws môr na mynydd yn yr ystafell fyw: llun carw efo'r teitl 'Monarch of the Glen' fel darn o garped ar y wal; cerflun o drempyn Eidalaidd a mân drugareddau o sawl gwlad arall ar y silffoedd, yn dystiolaeth i hwn fod yn gartre unwaith

i longwr, a hwnnw'n un hael. Dydi'r rhieni ddim wedi newid
llawer o ran eu golwg na'u hagwedd mewn un mlynedd ar
hugain. Yn gwpwl croesawgar a siaradus, mae'n amlwg na
adawson nhw erioed i'w galar droi'n chwerwedd; mae'r ysbryd
graslon a welwyd yn y cyfweliad teledu yma o hyd.

Thomas John Roberts

Pnawn Sadwrn oedd hi, ac anghofia i byth mo'no fo. Mi o'n
i wedi cael gwaith fel curadur yn yr amgueddfa lechi yn
Llanberis, ar ôl bod yn gweithio yn y chwarel fy hun am
flynyddoedd. O'n i'n gweithio diwrnod hwnnw, a mi oedd
'na gêm ffwtbol yn cael ei dangos ar y teli. 'Twm,' medda un
o'r hogia, 'Fedri di gael llun ar hon i ni gael gweld y gêm?'
O'dd gynnon ni hen portable bach yn y lle, a mi es inna i
ffidlan efo honno. Ond pan ddaeth y llun dim y gêm ffwtbol
oeddan nhw'n ddangos, ond newsflash yn deud bod yr
Ardent wedi cael slap. Dyna sut clywais i gynta.

Eileen Roberts

Ro'n inna wedi mynd i Gaernarfon i brynu chips inni i ginio.
Ar ôl imi gyrraedd adra mi ddath y person, Alun Jones,
heibio i ddeud bod Raymond yn missing. Y person oedd pen
dyn y pentra mewn ffordd. Mi ddaeth yn ôl wedyn i ddeud
wrthon ni bod Raymond yn un o'r rhai oedd wedi'u lladd.

TJR

Mi o'dd y person isio llunia ohono fo, a darna o bapura
newydd ac ati. Oedd o'n bwriadu gneud scrapbook a'i gadw
fo yn yr eglwys, er mai pobol capal ydan ni. Mis Mai
digwyddodd hyn, ond erbyn mis Hydref mi oedd y person
ei hun wedi marw, wedi cael ei lofruddio.

ER

Yr unig reswm aeth Raymond i'r *Navy* oedd bod 'na ddim
gwaith i'w gael yn fa'ma. Oedd o wedi gneud cwcio yn

Ysgol Brynrefail, fydda fo'n mynd yno yng nghanol y genod, cwcio oedd 'i hobi fo. Pan oedd o'n gadal yr ysgol mi es i efo fo i weld y careers officer, a dyma hi'n deud 'Y lle dwi wedi gweld y cyfle gora i fynd yn chef ydi yn y *Navy*.' Dyna sut aeth o yno. Mi aeth o a rhyw hogyn arall o fa'ma i fyny i Wrecsam i basio allan. Ddaru nhw ffendio bod 'na rywbeth yn bod ar lung yr hogyn bach arall a mi ddaru hwnnw fethu'r medical. Dan ni wedi difaru llawer na fasa 'r un peth wedi digwydd i Raymond.

TJR
Un ar bymtheg oed o'dd o pan aeth o i'r *Navy*. Er 'mod i wedi bod yn yr Armi fy hun ac wedi gweld petha ofnadwy ddaru ni ddim meddwl am ryfel pan oedd o'n joinio. Doedd Raymond ddim yn meddwl o gwbl am ryfel trwy'r adeg pan oedd o yn y Navy. I'r Empire Games oedd o i fod i fynd pan gafodd o'i yrru i'r Falklands, fel escort i un o'r llongau mawr 'ma. Oedd o wedi gweld dipyn ar y byd.

Mi fuo fo'n anlwcus ofnadwy i fod ar yr *Ardent* o gwbwl. Ar y *Southampton* o'dd o cynt, ond mi gafodd dransffer am fod yr *Ardent* yn brin o chefs. Chwech wythnos o'dd o wedi bod arni i gyd. Mi oedd 'na hogyn bach o Gonwy yno efo fo, Tony oedd ei enw fo. 'I'll look after him,' medda Raymond wrth ei fam o cyn iddyn nhw adael.

ER
Mi oedd o wedi bwriadu gadael y *Navy*, ond ar ôl i'w briodas o dorri fyny, mi benderfynodd fynd yn ôl am un tour arall. Pan oedd o adra ar ei leave dwaetha mi oedd o newydd fod yn Norwy ar ryw courtesy call. Oeddan nhw wedi cynnal gwasanaeth uwchben lle aeth yr *Ardent* arall i lawr mewn fjiord tua 1943. Mi oedd 'na dair neu bedair *Ardent* wedi bod cynt. Dyna'r peth dwaetha wnaeth o cyn mynd am y Falklands.

Ar eu ffordd allan mi stopion nhw yn Ascension Islands i

ddechra. Mi sgwennodd o lythyr aton ni o fan'no yn dweud wrthon ni am beidio poeni amdano fo. Yn Saesneg oedd o wedi arfer sgwennu a hwn oedd y tro cynta iddo sgwennu yn Gymraeg. Roedd o'n deud 'i fod o'n frown fel berry achos bod hi mor boeth yno. Ond wrth iddyn nhw fynd yn nes at y Falklands mi oedd hi'n oer ofnadwy. Hyd yn oed yr adeg honno doeddan ni ddim yn meddwl y bydda 'na ryfel. Ond mi oedd ganddon ni berthynas yn byw dros ffordd oedd â mab ar yr *Ark Royal*. Hi wnaeth inni ddechra meddwl y galla petha fynd yn ddrwg.

TJR

Llong ryfel oedd yr *Ardent*, 'Frigate Type E22' ne rwbath. Be fydda'n digwydd oedd bod soldiwrs yn landio yn rhywle a nhwtha'n rhoi cyfar iddyn nhw. Ond mi oeddan nhw wedi tynnu rhai o'r missiles oddi ar y llong am eu bod nhw'n rhy ddrud. Dim ond yr Exocets oedd ganddyn nhw ar y llong. Mi oeddan nhw'n sitting ducks mewn gwirionedd.

Mi gaethon ni lythyr yn deud mai 1000 pound bomb oedd wedi mynd drwy'r llong. Mi oedd Raymond yn gwneud fire service pan gafodd o'i ladd. Mi oedd raid i'r chefs wneud rhywbeth arall yn ogystal â chwcio. A dyna be ddewisodd o neud. Dim ond un oedd wedi cael ei ladd gan y slap gynta. Wedyn mi ddaeth yr ail. Mi welais i'r peilot oedd wedi sincio'r *Ardent* yn siarad ar y teledu ryw dro wedyn.

Dwi'n meddwl mai Margaret Thatcher ddaru'r drwg mawr wrth suddo'r *Belgrano* 'na. Dyna pryd dechreuodd petha fynd o ddrwg i waeth. Tan hynny mi oedd 'na ryw obaith am setlo pethau. Oeddan nhw wedi gneud cylch yn doeddan, territorial waters mewn ffordd, ac mi oedd y llong ar ei ffordd am adra. Dyna wnaeth y gwahaniaeth mawr, sincio honno. Mi sgwennais i lythyr at Tam Dallyel [yr Aelod Seneddol o'r Alban oedd yn gwrthwynebu'r rhyfel] ar gownt y peth, a chael llythyr neis iawn yn ôl. 'She sank the

Belgrano while she was drinking pink gin in Chequers,' medda fo unwaith.

Ond mi wnes i deimlo'n ofnadwy efo'r teuluoedd yn fan'no. Meddyliwch bod 'na jest i bedwar cant ohonyn nhw. Fydda i'n meddwl yn amal wchi bod Margaret Thatcher wedi mynd am y Falklands er mwyn ennill y lecsiwn. A mi weithiodd, mi aeth i mewn yn flying yn do.

ER

Pan aethon ni i'r gwasanaeth coffa yn *St Paul's* mi oedd 'na buffet wedyn yn y *Guildhall* a mi welson ni gapten yr *Ardent* yn fan'no. Mi oedd y bobol fawr i gyd yno.

TJR

Pawb ond y Cwîn...

ER

Mi oedd y Cwîn yno!

TJR

Welis i moni!

Mi welson ni gapten yr *Ardent* a capten yr *Antelope*, gafodd slap yr un diwrnod. Mi o'n i wrth fy modd efo capten yr *Antelope*. O'dd hwnnw'n deud ei fod o'n teimlo'n ofnadwy bod yr hogia wedi mynd lawr a fynta ddim. Yn yr hen amser y capten fydda ar y llong yn ddwaetha un, ond doedd hynny ddim yn digwydd efo'r rhain.

Mi welson ni rieni rhai o'r hogia eraill yn *St Paul's*. A mi gafon ni lawer iawn o lythyrau ganddyn nhw. Roedd lot ohonyn nhw efo dim ond un mab ac wedi colli hwnnw. Mi oedd hi'n waeth ar y rheini. Mi welson ni dad yr hogyn ddaru golli ar y *Glamorgan*...

ER

Fuon ni ddim yr un fath am hir iawn wedyn. Doeddan ni

ddim yn medru cysgu na dim. Ond mi oedd rhaid inni gario mlaen efo'n bywydau er mwyn y plant eraill. Fasan nhw ddim yn trio os na fasan ni.

TJR

Mi ddaeth yr Aelod Seneddol, Dafydd Wigley, i'n gweld ni'n syth. Mi oedd ganddo fo brofiad o'r peth yn'doedd, wedi colli dau o feibion. Mi oedd 'na bobol papura newydd ac ati'n galw o hyd. Yn rhyfedd iawn, y clenia ohonyn nhw oedd dyn y *Daily Mail*. Mi oedd rhai o'r lleill fel tasan nhw wedi dwad draw i dynnu llunia priodas.

Faswn i'n meddwl bod y peth wedi deud ar y plant 'ma fwy na ni. Mi oedd ganddo fo frawd hŷn, Reg, a brawd a chwaer fengach, Ronnie a Iona.

ER

Dim ond 14 oed oedd Iona ar y pryd, a dydi hi ddim wedi sôn amdano fo er pan gafodd o'i ladd. Fedra hi ddim sôn amdano fo. Pan fydda rhywun yn dwad yma i'n gweld ni mi fydda hi'n mynd i'r llofft o'r golwg. Babi oedd hi pan oedd o'n hogyn mawr, a mi oedd o wedi mopio efo hi. Mi fydda'n cario dolia iddi o lle bynnag bydda fo'n mynd. Mi oedd o'n un ffeind ofnadwy.

TJR

Mae'r peth wedi gwneud byd o wahaniaeth i'r hogia 'ma hefyd. Mi oedd y tri ohonyn nhw'n agos ofnadwy pan oeddan nhw'n blant, a dydi'r lleill dim wedi bod yr un fath wedyn.

Pan oedd Raymond yn y camp yn Portsmouth mi oedd o wedi dwad yn ffrindia efo rhyw hogyn oedd yn eu dreifio nhw'n ôl a blaen. Ar ôl inni golli Raymond mi ddaeth hwnnw ar ei wyliau i fa'ma a gweld y gofgolofn ac ati. A dyma gnoc ar y drws, a pwy atebodd y drws ond Ronnie, ei frawd fenga fo. 'I know I've come to the right place,' medda fo'n syth. Oedd Ronnie'r un ffunud â Raymond. A mi oedd Raymond wedi disgrifio'r lle 'ma i'r hogyn.'He described it exactly as it is,' medda fo. Mi oddan nhw'n ffrindia mawr.

ER

Mi fydda fo'n dwad adra mor aml â medra fo. O'n i'n meddwl neithiwr amdano fo'n cyrraedd ar nos Wener, a jest taflu'i gês i mewn. Mi fydda'r teulu i gyd yn gwybod pan oedd Raymond yn y tŷ. Ac yn cario sigarets i dad Tom. Wnaeth o erioed smocio ei hun, ond mi fydda Taid wrth ei fodd. A sigârs i'r hogia. Mi oedd o'n eu cael nhw am y nesa peth i ddim. Roeddan ni'n clywed sŵn y cês 'na am hir iawn wedyn.

TJR

Ia, ar nos Wener bydda fo'n dwad. Dach chi'n ei ddisgwyl o o hyd bob nos Wener. Mi oedd o'n boblogaidd efo pobol wchi. Hen bobol a pawb.

ER

Er nad oedd o ddim adra lawer mi oedd o'n ffrindia efo pawb, pawb yn 'i nabod o. Mi wnâi o rwbath i rywun.

Ma'i fab o, Paul, yn dal i fyw yn y pentre. Dan ni newydd yrru cerdyn iddo fo ar ei benblwydd yn 22 oed. Doedd o ddim yn ddwyflwydd pan gollodd o'i dad a does ganddo fo ddim cof o gwbwl amdano fo. Mae o'r un ffunud â Raymond ac yn annwyl ofnadwy.

TJR

Dan ni wedi gneud efo Paul ers pan gafodd o'i eni, ac efo'i fam o hefyd. Mae 'na ddwy ochor bob amser pan mae priodas yn chwalu yn'd oes. Dan ni wedi rhoi petha Raymond i gyd i Paul. Mi gawson ni lun y llong i'w roi iddo fo a mi wnaeth Gray Thomas, Caernarfon 'i fframio fo, a gwrthod cymryd dim byd am wneud.

Dydw i ddim isio gweld rhyfel yn digwydd rwan yn Irac [Roedd hyn ym Medi 2002]. Dydi hynny ddim yn mynd i ateb dim byd. Mae'n iawn i'r hogia sy'n dod yn ôl yn tydi. Y rhai sy'n cael eu lladd, a theulu'r rheini, arnyn nhw mae hi'n ddrwg.

Mi es i i'r Armi fy hun yn 1947, yn y *Royal Welsh Fusiliers* i ddechrau cyn cael transffer i'r *North Staffordshire Regiment,* a mi fuon ni ar yr *Internal Security* yn India. Mi gafodd 'na chwe mil 'u lladd yn Calcutta yn 1946, ac mi o'n i yng nghanol y riots hynny. Doedd hwnnw ddim yn waith braf o gwbwl.

Wedyn ar ôl imi ddwad o India mi es i lawr i Lichfield Barracks a ffendio fy hun yn rhyw *Prisoner of War Hospital* yn Swindon. A mi ddois i'n ffrindia efo un o'r Germans. Peilot yn y *Luftwaffe* oedd o, ma'i lun o gen i o hyd. Dim ond 19 oed oedd o a mi ddaethon ni'n ffrindia mawr. *Conscript* oedd hwn, fath â ninna wedi cael call-up. 'R un fath yn union â'r hogia 'na ar y *Belgrano*. Does arna i byth isio gweld rhyfel arall.

ER
Ond rhyfeloedd fydd 'na ynte.

TJR
Ia, mae'n beryg. Fel mae'n deud yn y Beibl, challian nhw byth.

FFYNNONELLAU

Mae rhestr o lyfrau ac erthyglau am y Wladfa i'w gweld ar wefan y Llyfrgell Genedlaethol: www.llgc.org.uk
Yng nghanol y toreth o ddeunydd archifol am y rhyfel sydd i'w gael ar y rhyngrwyd, mae casgliad y *Guardian* ymysg y mwyaf cyflawn a gwrthrychol: www.guardian.co.uk/Archive
Bu'r llyfrau canlynol yn help i ddirnad y cefndir.

Y RHYFEL
The Battle for the Falklands: Max Hastings a Simon Jenkins (Michael Joseph)
The Falklands War 1982: Martin Middlebrook (Penguin)
The Land that Lost its Heroes: Jimmy Burns (Bloomsbury)
The Falklands War: The Sunday Times Insight Team (Sphere Books)

ARIANNIN A'R WLADFA
Y Wladfa yn dy Boced: Cathrin Williams (Gwasg Pantycelyn)
Y Wladfa: R. Bryn Williams (Gwasg Gomer)
Yr Hirdaith: Elvey MacDonald (Gwasg Gomer)
Ar Lannau'r Gamwy: W M Hughes (Gwasg Y Brython)
Dyddiadur Mimosa: Joseph Seth Jones; Gol. Elvey MacDonald (Gwasg Carreg Gwalch)
The Rough Guide to Argentina (Rough Guides)
Patagonia: Bruce Chatwin (Picador)

IAITH
Cymraeg oedd iaith y cyfweliadau sy'n cael eu dyfynnu yn y llyfr, gyda'r eithriadau canlynol:
Yn Saesneg yr holwyd Bronwen Williams, Milton Rhys, Ronnie Gough a Denzil Connick.
Cwestiynau Cymraeg ac atebion Sbaeneg oedd y drefn gyda Carlos Eduardo Ap Iwan, Horatio Kent, Julio Oscar Gibbon a Celinde Espinoza de Austin, gan recordio a bras gyfieithu yn y fan a'r lle, a'r cyfan yn cael ei gyfieithu'n fanwl gan Monica a Gwyn Jones adref yng Nghymru.